SAFIA

SAFIA
Otokoré

AVEC LA COLLABORATION DE PAULINE GUÉNA

SAFIA, UN CONTE DE FÉES RÉPUBLICAIN

RÉCIT

« Il faut être libre pour se battre pour la liberté des autres. »

À Aicha Ibrahim, ma mère.
De toi je tiens la force et la volonté d'aller au bout de mes convictions.

À Nicole Lambron, « French-maman ».
De toi, l'ouverture d'esprit et l'éveil à la solidarité.

À mes deux anges gardiens :
Mon père, Ibrahim Mohammed,
Ma sœur, Kaltoum.

Sans oublier Mustapha, mon frère.

À toutes les femmes du monde.

Je suis née pauvre. Je suis née femme. Je suis née noire. Et je suis née musulmane.

Je ne sais pas dans quel ordre je dois classer ces propositions. Mais sur elles, parfois contre elles aussi, j'ai bâti ma vie.

Quand on est pauvre, on fait des choix. On se blinde, on devient fort, on ne laisse pas couler ses larmes en pure perte.

Quand on est femme, du moins dans le pays où j'ai vu le jour, on apprend à se taire, on apprend à mentir, on apprend à se cacher.

Quand on a la peau noire, du moins dans le pays où j'ai choisi de vivre, on doit prouver sa valeur, à chaque instant.

Et quand on est musulmane, aujourd'hui dans le monde, on se trouve devant une partition manichéenne et devant la nécessité impérieuse de choisir son camp.

Alors mon camp, celui qu'on m'a imposé d'abord, que j'ai appris à domestiquer, à maîtriser ensuite, et que je choisis aujourd'hui en toute liberté, et surtout en toute connaissance, c'est le camp des faibles, des outragés, des oubliés.

J'ai tenté de mettre ma vie au service d'une certaine idée de l'égalité. Ce fut d'abord par simple volonté de s'en sortir, de vaincre. Mais je crois en la valeur de l'exemple, je crois en la nécessité de l'aide pour ceux qui en ont besoin. Je crois surtout que ce combat, que j'ai mené d'abord pour moi seule, je peux le continuer pour les autres.

J'aurais bientôt trente-cinq ans. Le chemin que j'ai parcouru, qui m'a menée des faubourgs misérables de Djibouti, en passant par la Somalie ravagée par la guerre civile, l'Afrique de l'Ouest et la découverte du socialisme, les émirats et les villages français, jusqu'à Solferino et les ors de la République, je le dois à une volonté rageuse, à la chance, et surtout à de nombreuses rencontres.

Pour continuer toujours d'avancer, j'ai dû oublier beaucoup de choses. À chaque étape de ma vie, à chaque mue, à chaque transformation, j'ai posé un couvercle, étanche et efficace. Je n'ai pas eu le luxe de me retourner sur moi-même, de méditer mes erreurs, d'observer mes progrès. La psychologie n'avait pas cours dans mon univers. J'ai avancé, sans un regard en arrière.

Aujourd'hui, pour la première fois, je me retourne. Je reviens sur mes traces. Je revisite les ruelles de mon enfance, je réentends la voix de mon père, je revis mes souffrances. Des visages oubliés me reviennent. C'est un voyage douloureux pour moi, mais je le veux enrichissant. Et j'espère que le récit de ce que j'ai vécu, que de nombreuses femmes ont connu et connaîtront encore malheureusement, va en aider certains. J'espère que mon histoire donnera des clés à ceux qui dirigent, et du courage à ceux qui traversent ces épreuves.

Je suis née femme. Je suis née musulmane. Je suis née noire. Je suis née pauvre.

Aujourd'hui je suis devenue une femme indépendante française noire musulmane libre de sa pratique et soutien de famille.

Je me suis beaucoup battue, mais je me suis bien amusée aussi.

Première partie

Enfance

1

Premières années

17 octobre 1969 au matin.

Ma mère est accroupie sur le sable qui couvre le sol de la cuisine à ciel ouvert, les jambes écartées autour de son gros ventre, près du four à charbon bricolé dans un morceau de tôle. Elle prépare le repas quand les contractions la prennent. Quelque part dans le quartier militaire, mon père taille des uniformes au fond de l'atelier de l'armée où il travaille depuis son arrivée à Djibouti, il y a quatre ans déjà. Djibouti, enclave française dans la Corne de l'Afrique, avant-poste militaire et havre de paix dans une région secouée de troubles, ne s'appelle pas encore Djibouti, mais Territoire français des Afars et des Issas.

Les galettes de blé, de grandes crêpes brunes, cuisent dans la poêle. Elles seront accompagnées de sucre et de beurre de chamelle, servies avec du thé. Il fait déjà très chaud, la journée va être longue, ma mère étale la dernière crêpe avant d'appeler Kaltoum, sa fille aînée, qui joue devant la maison.

— Va chercher ta tante. Dis-lui de venir, vite.

Kaltoum a filé sans poser de question.

Deux heures plus tard, je suis née en hurlant sous les yeux de ma sœur âgée de cinq ans, à même le sable rouge. Aussitôt après, ma mère a repris son travail. Ma tante est allée chercher l'assistant du cadi, le représentant de l'autorité française, qui doit constater en examinant les traces de sang et le placenta que la naissance de l'enfant a bien eu lieu ici. Depuis la fin des années 50, les autorités sont de moins en moins enclines à assimiler les candidats à l'immigration, qui a pourtant été longtemps encouragée. Les contrôles se sont donc faits plus stricts. Mais les indices ne manquant pas, je suis enregistrée sous le nom de Safia Ibrahim, née française sur le sol d'une case misérable du quartier 3, Djibouti-ville, TFAI.

La France s'est intéressée dès le Second Empire à la Corne de l'Afrique et plus précisément à ce point stratégique qui contrôle l'entrée du golfe de Tadjoura au confluent de la mer Rouge et de l'océan Indien, à quelques kilomètres de la péninsule Arabique. Pour seuls habitants, la région comptait alors deux peuples qui nomadisaient sur ce morceau de terre inhospitalier et désertique fait de mers mortes, de lacs asséchés, de reliefs volcaniques et de sables : les Afars et les Issas. Ces derniers sont une ethnie somalie. En 1880, la Compagnie franco-éthiopienne était fondée, quatre ans plus tard, le protectorat français imposé. À l'aube du XXe siècle, les limites du territoire étaient dessinées telles qu'elles existent encore aujourd'hui. Elles dotent le petit pays de cinq cent vingt kilomètres de frontière avec trois grandes zones à l'histoire chaotique : l'Éthiopie, l'Érythrée, et la Somalie dont viennent mes parents.

Le cadi a salué et s'est retiré, ma tante a rapidement enterré le placenta puis elle a fui à son tour mes cris furieux. Avant de partir, elle m'a déposée dans les bras de ma sœur, et ma mère, qui n'a pas le souvenir nostalgique, dit qu'enfin je me suis tue.

J'étais le quatrième enfant de mes parents. Ils étaient mariés depuis neuf ans, ma mère avait bientôt trente ans, et six autres enfants allaient encore suivre.

Nous habitions le quartier 3, un bidonville dans lequel étaient regroupés les réfugiés Issaqs venus du nord de la Somalie. En marge de la ville, chaque quartier était peuplé par ethnie : le quartier 4 appartenait aux Issas pauvres (des Somalis autochtones), le quartier 5 aux Gadaboursis (venus du nord de la Somalie). Nous étions coupés de la cité par des rues pentues, de la mer par une zone militaire, du désert par les camps où s'entassaient les nouveaux arrivants...

Les Somalis de Djibouti sont essentiellement issus de l'immigration éthiopienne et surtout somalienne. Pendant longtemps, elle a été encouragée par l'administration française : les Somalis étaient plus sédentarisés et urbanisés que les

Afars, et même que les Issas, ils avaient une meilleure réputation auprès des Occidentaux. Les Issaqs, venus de l'ancienne Somalie britannique (actuel Somaliland), sont pourtant devenus indésirables sur le sol français dès les années 50. La France les a soudain perçus comme les propagateurs d'une idéologie indépendantiste (une gangrène qui se répand vite) et l'outil rêvé des visées expansionnistes de la Somalie devenue indépendante en 1960. Dans ces années, un véritable mur de barbelés a même été érigé autour de Djibouti-ville. Mes parents ont fait partie de la dernière vague d'immigrés à s'installer durablement dans le pays. Les migrants suivants, fuyant les guerres et les massacres qui ensanglantent l'histoire de la région depuis cinquante ans, trouvaient refuge dans des camps précaires installés en plein désert, une solution provisoire seulement (que certains voient aujourd'hui se prolonger depuis quinze ans, mais j'aurai l'occasion d'en reparler plus loin).

Le quartier 3 où je suis née est l'un des plus pauvres de la ville de Djibouti, qui s'étage depuis les hauteurs du Plateau jusqu'à notre fournaise, ses différents univers reliés seulement par des escaliers comme autant de ponts jetés entre des mondes imperméables les uns aux autres. La presse locale, le journal *Combat*, par exemple, décrit notre quartier comme un véritable coupe-gorge, un lacis impénétrable, refuge de tous les malfaiteurs et parasites que compte le pays.

La rue de mon enfance, pompeusement nommée boulevard 24, une longue et étroite ruelle plutôt, est faite de sable rougeoyant et toujours chaud. Elle file tout droit entre les baraques en tôle ondulée et en bois, joignant deux grandes avenues : la 19 et la 26. Les petites maisons sévèrement alignées sont toutes construites sur le même modèle : la cuisine à ciel ouvert, qui est plutôt une sorte de cour où ma mère vient de me mettre au monde, est l'espace central de l'organisation autour duquel sont posées quelques chambres fermées (il y en avait trois chez nous, à la fin, une pour les filles, une pour les garçons, et une pour nos parents), qui sont de simples cabanes de tôle. De l'autre côté, un mur masque les sanitaires qui servent aussi de douche. La construction se fait de manière anarchique, au gré des mariages, quand les dots permettent de s'agrandir un peu ou de donner un toit à une nouvelle partie de la maison.

C'est ici que j'ai grandi, dans ce quartier où personne, quasiment, ne parle français, où l'on entend surtout les éclats des voix somalies. Le soir, vers 16 heures, quand il commence à faire moins chaud et que les tâches de la journée ont été accomplies, toutes les femmes de la rue, et dans les rues avoisinantes aussi, tirent une chaise sur le pas de leur porte et se laissent lourdement tomber. Dans l'air qui tiédit un peu s'épanouit la musique tranquille de leurs voix, de leurs rires. C'est le seul moment de délassement, avant le retour des époux et des enfants, avant la nuit qui va vite devenir noire, dans ce quartier où il n'y a pas l'électricité. Dans l'ombre qui s'étend, leurs vêtements font des taches de couleur; les fleurs écarlates de leurs robes, les pétales jaunes, le tissu violet, rose, bleu indigo simplement posé sur leurs cheveux et qui coule dans le dos, que les mains fines parfois couvertes de henné remettent machinalement d'un geste gracieux tandis que l'or de leurs bijoux aux poignets et aux chevilles s'efface lentement dans la nuit. Je revois le visage rond de ma mère, son sourire malicieux tandis qu'elle hèle les voisines. Nous, les enfants, sommes accroupis dans le sable, en train de jouer ou de rêver tout autour. Quand je lève les yeux vers elle, je trouve qu'elle se tient très droite. Sa voix domine souvent celle des autres femmes, elle est une des personnalités fortes de la rue. Les jambes bien écartées, les pieds ancrés dans le sol, chaussés de tongs en plastique, elle renverse parfois la tête pour rire bien fort et tape dans ses mains pour apprécier le bon mot d'une voisine.

Pendant ce temps, les hommes sont au mabraze, le café local, où ils émergent lentement de la torpeur provoquée par le khat. Le khat, c'est la drogue qui rythme leur vie, et par contrecoup notre vie à tous. Aujourd'hui on dit que 40 % du budget d'un ménage lui est consacré et lorsque je repense à mon enfance, je crois que l'estimation est juste. Le khat n'est jamais vendu à crédit, sauf aux fonctionnaires, et la somme à réunir quotidiennement est colossale au regard du niveau de vie d'une famille pauvre. Mon père, qui était un homme bon, juste et pieux, ne faisait pourtant pas exception à la règle. Tous les jours, en compagnie de tous les hommes de la ville, il interrompait son travail aux heures les plus chaudes de l'après-midi, et commençait son attente. Véritable outil politique, opium du peuple au sens propre, le khat, dont la livraison est un monopole d'État, arrive d'Éthiopie sur les lignes gouvernementales djiboutiennes. La plante doit être consommée parfaitement fraîche, on ne peut pas la conserver. Lorsque l'avion se pose à l'aéroport, les commerçants sont déjà là, prêts à gagner la ville à toute vitesse au volant de leurs camionnettes. À Djibouti-ville la paralysée, la droguée, la léthargique, les petits revendeurs les attendent fébrilement, qui vont livrer les mabrazes où les hommes patientent depuis un moment dans l'ombre, en préparant le thé à la menthe brûlant ou les Coca-Cola glacés qui accompagneront leur consommation.

Les hommes choisissent avec soin leurs buissons. Les préparatifs exigés par la plante demandent de la douceur et une attention dont beaucoup de femmes, sous ces latitudes, aimeraient se voir gratifier par leurs époux.

Le khat se mâche, c'est une drogue euphorisante qui agit lentement, un peu comme la coca, et son accoutumance est certaine. Il rend bavard et prolixe mais éteint l'action, ne laissant exister que les mots... quelle meilleure façon de mener un peuple ? Il tue la sensation de faim et provoque un sentiment de satiété inconnu d'ordinaire du plus grand nombre... quelle meilleure façon de gouverner des affamés ? Il abat les frontières de classe car le ministre broute au côté du pauvre... quelle meilleure façon de faire croire à la justice sociale ?

À l'heure du khat, plus rien ne fonctionne. Il y a un pic dans l'après-midi où la ville entière nage dans le bonheur. Cela dure quelques heures. Puis cela retombe. Lorsque les effets de la drogue s'atténuent, les hommes regagnent leurs foyers d'un pas incertain, emplis d'une légère frustration due à la sensation de manque qui commence déjà et peut-être à la conscience, lointaine et confuse, du temps perdu.

Les premières années de ma vie se sont déroulées dans la petite cuisine sablée, entre les jambes de ma mère qui me repoussait sans cesse car j'étais un bébé teigneux, difficile et exigeant, et les bras de ma sœur, sa douceur, son amour. Tous les ans, pendant les mois d'hiver, l'oued tout proche gonflait et sortait de son lit, envahissant les quartiers construits sur la plaine sans aucun système d'évacuation efficace. Notre quartier comme les autres était souvent englouti, nous les enfants pataugions plusieurs jours dans les eaux boueuses en riant. Parfois, la crue s'intensifiait encore, montant jusqu'à la taille d'un homme adulte. Alors l'armée française se décidait à procéder à l'évacuation. Dans un désordre indescriptible, nous étions des centaines à nous diriger vers les écoles et les lycées où nous étions hébergés quelques jours, portant nos maigres biens sur le dos, le temps que la terre très sèche absorbe enfin toutes ces eaux.

À trois ans, j'ai fait mon entrée à l'école coranique, comme tous mes frères et sœurs. L'école maternelle est assurée par l'école religieuse où l'on apprend l'arabe, des passages du Coran, des rudiments d'écriture, et la discipline nécessaire à la scolarisation. La salle où l'on nous rassemblait était petite et le matériel plus que sommaire : nous étions assis à même le sol, équipés chacun d'une ardoise, et nous récitions le Coran à longueur de matinée, dans la semi-obscurité pour échapper aux rayons du soleil. L'État français ne décrète la scolarité obligatoire qu'à l'âge de sept ans, les parents sont donc reconnaissants de pouvoir caser leurs enfants quelque part... Ensuite, l'option est proposée : on peut continuer le système scolaire arabe, comme l'a fait mon frère Mustapha, ou entrer à l'école publique française. Mes parents ont choisi pour moi le système scolaire français, qui n'a pas très bonne réputation pour les filles...

L'école du quartier 3, où j'ai passé mes classes préparatoires 1 et 2, comme le voulait le système à l'époque, est un souvenir qui me fait aujourd'hui encore flamber de colère. Dans ce bâtiment pimpant, on ne formait certainement pas l'élite de la nation. On ne formait pas même des enfants comme les autres, mais plutôt les futurs balayeurs, les éboueurs, les futures femmes de ménage et les nourrices qui fourniraient aux autres quartiers de la ville une main-d'œuvre nombreuse et peu chère, juste suffisamment éduquée pour comprendre le français. La philosophie était parfaitement claire, nous étions dressés pour la vic qui nous attendait. Pas un d'entre nous n'avait la moindre chance de s'en sortir, d'échapper à son destin, ou de voir s'épanouir ses qualités. Dans les années 1990 encore, seuls 40 % des enfants étaient scolarisés, et deux cent cinquante à peine par classe d'âge atteignaient le baccalauréat. En CM2, 70 % des enfants scolarisés ne savaient ni lire ni écrire. À mon époque, l'entrée en sixième ne se faisait qu'après un examen qui éliminait évidemment tous ces enfants. Ils étaient renvoyés dans la rue sans avoir rien appris, leur livret scolaire seulement tamponné d'un reluisant : *Vie active*, dont écopèrent tous mes frères et sœurs.

Pour nous tous, l'entrée en CP marquait les premières heures de l'apprentissage du français. Nous étions français, mais nous ne parlions pas encore un mot de la langue. À la maison, nous parlions en général somalien ou djiboutien (les deux langues sont assez proches). Nous avions appris l'arabe à l'école coranique. Et nous nous attaquions maintenant à notre troisième ou quatrième langue. Les classes étaient peu nombreuses, nous n'étions pas plus d'une vingtaine, le maître se contentait de nous parler français toute la journée. La première année au moins, nous ne comprenions pas un traître mot de ce qu'il racontait, nous contentant de répéter lorsqu'il nous en faisait signe. La méthode française était en vigueur, qui n'était pas adaptée pour des enfants ne parlant pas la langue et vivant dans des foyers sans livres, sans journaux, sans aucun moyen d'accès à la culture. Nous faisions ainsi des dictées, dans lesquelles nous totalisions des nombres de fautes ahurissants, nous avions lecture, calcul... L'école était jolie, le préau énorme, c'était souvent le plus beau bâtiment que nous ayons jamais eu l'occasion de contempler. Mais sitôt dans la cour de récréation, nous reprenions nos discussions en somalien ou en djiboutien. Parler français était mal vu dans la communauté, c'était la langue du colon...

Je dois la chance qui a fait changer la trajectoire de ma vie à la folie d'un maître et au mauvais caractère de ma mère.

L'instituteur de deuxième année avait développé un vice bien particulier. Il détestait les petites filles et nous punissait sans rime ni raison de la plus cruelle des façons. Il nous faisait monter sur une table et nous fessait publiquement, cul nu. Depuis le début de l'année, je le voyais ainsi déchaîner chaque jour sa colère contre une de mes camarades, et je tremblais de terreur à l'idée que mon tour allait forcément arriver bientôt. Le jour est venu évidemment, où il a voulu m'appliquer l'absurde châtiment pour une faute dont je n'ai pas le souvenir. J'ai eu si peur que j'ai pris la fuite, je me suis ruée hors de la classe. J'ai couru comme si ma vie en dépendait, prête à tout pour échapper à l'humiliation suprême (j'avais déjà huit ans), et j'ai couru jusque chez moi. Je savais que je m'exposerais à la colère de ma mère pour avoir désobéi au professeur, mais lorsque je lui ai tout raconté en pleurant, j'ai eu la surprise de voir s'allumer dans ses yeux une véritable fureur. Lâchant ses casseroles et mes petites sœurs, elle m'a prise par la main et s'est élancée à grands pas vers l'école primaire, me traînant à sa suite. Elle a traversé la cour de récréation, pénétré dans la salle de classe, me tirant toujours derrière elle, à demi folle de peur et incertaine du sort qui m'attendait. Parvenue devant le maître, elle a lâché ma main et a précipité la sienne dans la figure de l'instituteur stupéfait. Une fois, deux fois, un aller et retour retentissant. Puis elle est sortie, le laissant abasourdi, et j'ai filé derrière elle sans demander mon reste.

Évidemment, j'ai été exclue de l'école, en raison de la mauvaise conduite de ma mère.

Aicha, ma mère, est une forte tête, tenace et obstinée. En me faisant renvoyer, elle avait rendu mon père furieux et s'était mise dans une situation embarrassante. Il fallait qu'elle trouve une solution, qu'elle décide que faire de moi.

Ma chance a continué, et je la dois cette fois à ma laideur, il faut bien l'avouer. À sept ans on dit qu'on peut prédire déjà qu'une fille sera ou non jolie. Et moi, maigre comme un clou, avec ma peau noire comme le charbon, mon caractère de garçon manqué et mes cheveux ras, je ne semblais pas près d'acquérir un jour les canons de beauté qui faisaient le succès des femmes de mon peuple : finesse, élégance, peau claire et cheveux épais, mais aussi douceur et modestie...

Pendant plusieurs jours, ma mère m'a gardée à la maison, en levant souvent sur moi son regard pensif. Je me faisais toute petite, pour le moment on ne m'avait pas reproché ma désobéissance, et je comptais bien que cela dure. Elle se disait qu'on ne parviendrait jamais à me caser, et qu'il fallait pourtant bien faire quelque chose de moi. De mon côté, ça m'arrangeait, je n'avais aucune intention de me marier, je me considérais plus ou moins comme un garçon, tous mes amis étaient des garçons, j'aimais jouer avec eux et avec mes frères, surtout Mustapha qui n'avait que deux ans de plus que moi. Souvent, je regardais ma grande sœur Kaltoum, qui était déjà un idéal de femme ; je savais que je ne parviendrais jamais à l'égaler.

Une semaine après mon renvoi, ma mère avait fini de peser le pour et le contre, sa décision était arrêtée : je poursuivrais coûte que coûte ma scolarité dans une école digne de ce nom.

Samedi matin (premier jour de la semaine, le jeudi et le vendredi étant chômés dans les pays musulmans), elle s'est rendue chez un de ses cousins. L'homme, qui avait assez bien réussi dans la vie, habitait les quartiers riches, le Plateau. Il était directeur de l'école primaire française située dans la zone portuaire sud. Elle était parvenue, à force de ténacité, à y faire inscrire Ahmed, son fils aîné, son fils chéri, pour qui elle souhaitait un avenir tout différent. Elle recommençait à présent la démarche pour moi, sa fille indisciplinée et trop rebelle. Le cousin finit par accepter – ma mère avait souvent gain de cause –, mais il lui fit jurer que, cette fois, elle ne lui demanderait plus rien, plus aucune faveur, jamais. Il était très inquiet à l'idée de s'encombrer d'une parente pauvre, mais ne pouvait refuser de rendre service à un proche qu'au mépris absolu des règles qui fondent la société somalienne. Le fonctionnement tribal repose sur la solidarité sans faille des membres d'une même famille – le mot famille étant entendu au sens large de tribu. Ma mère se moquait bien de ses conditions, elle avait obtenu ce qu'elle voulait. C'est ainsi que j'ai fait mon entrée dans l'excellente école française de la ville haute. Fréquentée par les enfants des politiques, des riches commerçants et des professeurs, c'était bien ici que se formait l'élite de la nation. J'abordais le CE1.

2

Safia Serpent

Tous les matins, ma mère m'accompagnait. Le trajet était long, nous n'avions que rarement de quoi prendre le bus et nous marchions près d'une heure. Ma mère me tenait par la main, elle allait vite, saluant de la tête les connaissances croisées en chemin. Nous traversions sans nous parler le quartier 3, empruntions les ruelles qui menaient au quartier 2, coupions rapidement à travers la partie qu'on surnommait en riant le quartier « funcking » où vivent les prostituées puis grimpions les marches qui conduisent au centre commercial et au Plateau, la ville haute, la ville chic. Sous ces escaliers où nous passions chaque jour vivaient des enfants qui avaient moins de chance que moi, ceux que l'école avait rejetés ou qui n'y avaient même jamais mis les pieds. Ils se rassemblaient là pour sniffer de la colle et partager l'argent qu'ils avaient mendié le plus souvent sur le terre-plein central de la large et commerçante avenue 19.

L'école primaire était située à proximité de la très grande église, pas très loin du Prisunic, le magasin des merveilles à mes yeux. Arrivée devant les portes de l'établissement, ma mère faisait demi-tour simplement et s'éloignait. Elle n'avait jamais un geste de tendresse. Ce n'était pas sa façon d'exprimer l'amour qu'elle avait pour ses enfants. Elle nous nourrissait, et nous poussait, à sa façon un peu brutale, vers ce qu'elle pensait être le meilleur pour nous.

C'est durant ma seconde année, quand elle a décidé que j'étais assez grande pour faire seule le chemin, que j'ai gagné le surnom qui allait me suivre jusqu'à mon départ pour Dakar. Pour gagner du temps et pouvoir dormir un peu plus le matin, j'ai commencé à aller à l'école en courant. Comme j'étais très maigre et que je courais légèrement en zigzag, mes camarades qui me voyaient arriver chaque jour en riant m'ont donné le sobriquet de Serpent.

À la maison, on me traitait de paresseuse car j'aimais traîner au lit le plus longtemps possible, malgré les inconvénients évidents d'être la dernière à se lever : mes sœurs et moi partagions tout, notre chambre, nos affaires, notre lit, nos repas... la dernière à sortir de ses rêves était donc la dernière à se servir dans la vieille valise métallique qui renfermait nos vêtements... Je m'étais ainsi résolue à être la plus mal habillée, invariablement vêtue d'un vieux short et d'un T-shirt trop grand. J'étais aussi la dernière à passer à table, et les grandes crêpes accompagnées de sucre et de beurre n'étaient pas toujours en nombre suffisant pour toutes les bouches de la maison. Les crêpes constituaient tout notre repas du matin et du soir. À midi seulement, nous avions du riz et de la sauce. Le vendredi matin, une omelette. Les jours de fête, ma mère cuisinait du foie, dont elle avait auparavant négocié le prix pendant des heures au marché.

Ma fameuse « paresse » m'a pourtant procuré un avantage évident : un entraînement de fer. Je courais chaque jour près de dix kilomètres – mes chaussures à la main pour ne pas les user –, dans la poussière, la chaleur, la pollution. Cela forme un athlète plus sûrement qu'aucune salle de sport sophistiquée... Aux cours d'éducation physique, je suis rapidement devenue la meilleure et cela allait me servir bien plus que je ne le pensais.

À l'école du Plateau, les enfants parlaient tous couramment français. Qu'ils soient fils de politiques, de diplomates, de coopérants, de commerçants ou de professeurs, le français était leur langue maternelle. Rapidement, à leur contact, je l'ai maîtrisé parfaitement et j'ai pu commencer à apprécier la classe. Les instituteurs étaient bons pédagogues, j'apprenais énormément, avec assez de facilité. Mes nouveaux amis me plaisaient aussi. J'ai rencontré cette année-là celle qui allait devenir ma meilleure amie, Ayanne. Nous nous sommes repérées rapidement, elle la ravissante petite fille, gaie et volubile, et moi garçon manqué un peu sauvage mais tout aussi bavarde. Elle avait des origines yéménites, un physique assez arabe, le teint très clair. Après quelques tentatives de rapprochement, le tour était joué, nous étions devenues inséparables. À l'heure du déjeuner, je n'avais pas le temps de rentrer jusque chez moi. Les premières semaines, j'avais passé l'heure de pause à me promener dans l'ancien marché près de la maison de Rimbaud et dans les rues avoisinantes, explorant ce quartier inconnu, admirant les voitures, les immeubles majestueux, les restaurants chics, les vitrines des magasins. Je découvrais un univers que je n'avais jamais soupçonné. Puis, Ayanne, découvrant ma solitude, m'avait invitée chez elle et j'avais eu l'impression de pénétrer dans un décor. Sa maison était une grande bâtisse coloniale, très lumineuse. Tout y était beau, soigné, clair. Ayanne partageait sa chambre avec l'une de ses sœurs, ils étaient seulement quatre enfants. Son père était professeur à l'IUFM. Chez elle, c'était un havre de paix, de sérénité. Je m'efforçais de cacher mon éblouissement et j'affectais de trouver parfaitement naturelles les traces de leur aisance : télévision, téléphone, réfrigérateur... et surtout, les livres. Il y en avait partout, les rayonnages couvraient les murs, me fascinaient. La mère d'Ayanne se prit d'affection pour moi, et en plus de me nourrir presque tous les jours, elle m'invita rapidement à rester dormir. Elle m'abrita sous son aile, de loin, sans avoir l'air d'y toucher. Elle ne m'interrogeait pas sur ma vie, sur ma famille, sur ce dont était fait mon quotidien, ce qui me permettait de ne pas me sentir trop différente. Aujourd'hui, Ayanne vit à Paris. Son mari est médecin, elle a décidé d'arrêter de travailler pour élever leurs trois enfants. Nous nous voyons trop peu.

Je ne garde qu'un mauvais souvenir de cette période bénie. Un jour, l'instituteur nous demanda de préparer une récitation en groupe. Tout naturellement, Ayanne et moi avions choisi de travailler ensemble. Nous étions décidées pour la fable du loup et de l'agneau. La partie du loup étant plus longue, Ayanne s'était proposé de l'apprendre, puisque j'avais moins de temps qu'elle à consacrer à mes devoirs. Le jour venu, nous nous étions donc présentées ensemble. J'avais à l'époque une très grosse voix, due à des nodules sur les cordes vocales. En nous voyant déclamer côte à côte, Ayanne et sa peau claire, sa toute petite voix aiguë dans le rôle du loup, et moi, noire et tonnante dans celui de l'agneau, le maître avait été pris d'un fou rire qui m'ulcéra...

Le soir, quand je repartais vers chez moi, seule à aller dans cette direction, aussitôt que je posais le pied sur la première marche qui mène au bas de la ville, j'oubliais tout ce que j'avais vu dans la journée, je faisais le vide dans ma tête. Je redevenais Safia, petite fille des quartiers, débrouillarde et dégourdie. J'oubliais le français et ne parlais plus que le somalien, éventuellement le djiboutien. J'avais une existence schizophrène. Dans un réflexe de survie, j'avais décidé de ne pas mélanger ces deux mondes. Pourquoi parler à mes frères et sœurs de choses dont ils ne profiteraient jamais et dont je venais d'être gavée tout le jour ? Et pourquoi raconter à mes camarades du Plateau une vie qu'ils ne comprendraient pas et qui les choquerait ? Je zigzaguais ainsi entre deux univers comme un serpent.

C'est une particularité que j'ai conservée et qui me sert encore aujourd'hui. Au parti, où les clans et les chapelles sont si importants, je peux passer de l'un à l'autre en préservant mes convictions. J'apprends, partout, et c'est l'autre qui m'intéresse, toujours.

J'adorais l'école. Tout m'y paraissait merveilleux, fait pour moi. Je n'avais pas besoin de me battre, l'école s'offrait à moi. J'avais ma petite table, elle était mienne, dans le casier étaient rangées mes affaires que je me gardais bien de rapporter à la maison, de crainte qu'on ne me les abîme. Les professeurs étaient là pour moi, pour m'aider à apprendre, pour m'offrir leur savoir. J'aimais les cours de français, d'histoire, et de sport. Je suivais assez bien dans les autres matières également et à l'exception de mon épouvantable vexation dans le rôle de l'agneau, j'étais extrêmement satisfaite de mon sort. J'étais une élève attachante, je crois, mais un peu agaçante aussi. Comme je ne pouvais pas faire mes devoirs à la maison – la nuit tombait trop tôt, nous n'avions toujours pas l'électricité, nous étions trop nombreux et il y avait toujours un jeu ou une corvée pour me distraire –, je ne quittais jamais la salle de classe sans m'assurer d'avoir tout compris. Inlassablement, je levais la main, bombardant de questions mes pauvres professeurs, indifférente aux soupirs des autres élèves. Ils auraient, eux, quelqu'un pour tout leur expliquer plus tard. Moi, je jouais ma chance chaque jour, à chaque heure de classe. J'étais tenace, ça me faisait gagner un temps fou.

En 1977, Djibouti accéda à l'indépendance. Je n'étais plus française, mais je continuais mes études à l'école du Plateau, ma vie tronçonnée suivait son cours, quand j'ai fait une rencontre qui allait me bouleverser et jeter la base de mes convictions futures.

Ma petite sœur Nadjahia est née en 1981. Un médecin coopérant de l'hôpital Peltier a aussitôt détecté une malformation du cœur. Il a contacté une association, Terre des hommes, et nous avons vu débarquer dans son tailleur élégant, au fin fond du quartier 3, Nicole Lambron, ma deuxième mère, la femme à qui je voudrais dédier mon livre.

Elle avait découvert Djibouti à l'âge de vingt ans et y était revenue un peu plus tard en compagnie de son mari qui travaillait pour Total. Jeune fille de bonne famille mais aventurière dans l'âme, elle avait refusé l'existence dorée qu'on lui promettait et, plutôt que passer de nombreuses années dans une cage luxueuse, elle avait choisi de travailler pour la Croix-Rouge. Elle avait ensuite quitté cette organisation pour monter l'agence locale d'Enfance et Partage. Elle était à présent âgée d'une cinquantaine d'années. Quand le médecin lui parla de Nadjahia, elle décida de rencontrer d'abord la famille, afin de trouver avec elle la meilleure solution pour l'enfant. Elle contacta ensuite Terre des hommes qui finança toute l'opération et permit à ma sœur de guérir.

Nicole passait ainsi unc partie considérable de son temps à approcher les familles nécessiteuses, à leur expliquer les soins qu'il convenait de donner à leurs enfants, à les convaincre parfois d'accepter enfin de l'aide. Depuis l'indépendance surtout, les Blancs étaient mal vus dans mon quartier et il ne faisait pas bon y parler français. Une grande violence régnait, latente le plus souvent mais qui régissait les rapports humains. Je n'en avais pas une conscience claire tant elle imprégnait ma vie de façon intime. Mais j'ai compris plus tard qu'il fallait avoir le cœur bien accroché pour pénétrer l'inextricable entrelacs de ruelles du quartier 3 quand on était une femme blanche, riche, et non accompagnée. Les habitants la dévisageaient tandis qu'elle cherchait notre maison. Quand elle nous a enfin trouvés, les voisins se sont rassemblés tout autour, méfiants et soupçonneux, tandis que mes frères et sœurs prenaient la fuite. Les commérages allaient déjà bon train, les suppositions les plus folles faisaient jour. Ma mère m'a rattrapée in extremis alors que je filais derrière mes frères; elle avait besoin de moi comme traductrice. Elle avait confusément compris, à la maternité, que Nadjahia avait un problème mais elle s'en était remise au sort et à Dieu pour l'aider. Elle devinait à présent que la présence de cette femme dans sa cour avait un rapport avec l'état de sa fille.

Durant toute la conversation, ma mère a écouté en hochant la tête, anxieuse et mal à l'aise, inquiète pour son bébé, dépassée par les événements. Nicole, elle, ne me quittait pas des yeux. Elle m'a raconté ensuite qu'elle avait été impressionnée par l'excellence de mon niveau de français. Elle-même comprenait suffisamment le somalien pour s'assurer que je traduisais correctement ses propos. Après avoir expliqué à ma mère tout ce qui concernait Nadjahia, elle m'a ensuite posé des questions plus personnelles. Je voyais naître son intérêt pour moi et je le lui rendais bien. Le plus frappant, c'est qu'on se ressemblait physiquement. Comme moi, elle était très maigre, et nous avions la même voix rauque un peu garçon. C'est grâce à elle que j'ai pu me faire opérer, plus tard, et récupérer un timbre plus naturel. L'opération m'a alors valu une semaine de silence absolu – au grand bonheur de mes professeurs.

Après cette première rencontre, elle est revenue de nombreuses fois chez nous. Quand l'association a mené une enquête sur les ressources de notre famille, elle a continué d'assurer le lien. Puis, quand Nadjahia a été envoyée en Suisse pour y être soignée, où elle est restée plusieurs mois, Nicole est venue tous les quinze jours nous donner de ses nouvelles. Au fur et à mesure de ses visites, les liens se renforçaient entre nous. C'est grâce à elle, à son intelligence et à sa vigilance, que j'ai pu développer mon plus grand vice : la lecture. Chaque fois, elle arrivait avec un petit cadeau pour ma mère, et un livre pour moi. J'ai ainsi échappé aux lectures abêtissantes dont on abreuvait les petites filles scolarisées. Je prétends que les Harlequin font un mal fou aux femmes d'Afrique. Ils les abrutissent aussi sûrement que le khat abrutit les hommes. On peut ainsi passer une vie entière dans la misère et la stupidité, grâce à un état de rêverie presque somnambulique, artificiellement maintenu. L'unique idéal proposé aux femmes, sous les atours rosés et trompeurs d'un romantisme de pacotille, c'est l'amour unique et le mariage. Voilà le seul, le grandiose but de notre existence. Grâce à Nicole, cela m'a été épargné.

Le premier ouvrage qu'elle m'a donné fut *Vipère au poing*. Avec le recul, je trouve que cette histoire d'une mère cruelle est un choix bien particulier, la preuve à mes yeux de sa très grande affection pour moi. Par la suite, elle m'a aussi fait lire des bandes dessinées, des Spirou surtout, que j'adorais – et que j'adore toujours. Les livres de Dumas y sont alors passés, pour mon plus grand bonheur. Quand j'ai un peu grandi, elle m'a fait découvrir les poètes, Rimbaud qui avait aimé mon pays, Henri de Monfreid, puis Michel Leiris, André Gide. Je lisais sans retenue, un peu horrifiée par le racisme qui imprégnait souvent ces pages mais fascinée par la beauté de la langue.

En 1982, mon père a eu un grave accident. Un de ses collègues des ateliers l'agressa sauvagement, lui fracturant le crâne, sans que nous en apprenions jamais la raison. L'armée française a fait travailler mon père vingt années durant sous contrat à durée déterminée. Il n'eut donc droit à aucun congé spécial, ni aucune indemnité, malgré son ancienneté. Sa convalescence dura six mois, pendant lesquels la famille resta sans ressources. Il fut donc décidé qu'il était temps pour moi de quitter l'école pour subvenir un peu à nos besoins. J'avais déjà treize ans et j'avais eu beaucoup de chance par rapport à bien des enfants de mon quartier, et même par rapport à mes sœurs, j'en savais sans doute assez. Je ne me suis pas opposée à cette décision. L'idée de ne plus retourner à l'école me rendait triste pourtant, mais je pensais que c'était mon devoir, et je ne voyais de toute façon aucun moyen d'y échapper. C'est Nicole qui m'a sauvée.

En apprenant le projet de mes parents, elle a décidé de donner à son affection pour moi une tournure plus concrète que le simple fait de me prêter des livres. Elle a proposé à ma mère un marché : elle verserait à ma famille l'équivalent d'un petit salaire, à condition que je poursuive mes études. Ma mère, qui calculait depuis des années que l'instruction était sans doute pour moi la seule chance de m'en sortir, a aussitôt accepté. J'ai repris le chemin de l'école.

À partir de ce jour, Nicole et moi sommes devenues très proches. Deux fois par semaine, elle m'accueillait chez elle. Elle m'a ouvert sa maison sans crainte. Je dormais dans la chambre de sa fille Stéphanie – avec laquelle j'ai fait les pires bêtises à l'adolescence, quand on faisait le mur pour aller draguer en ville... Elle me donnait des vêtements, des livres. Nicole ne m'a pas fait miroiter de merveilles, elle ne m'a rien promis, elle s'est contentée de m'accepter telle que j'étais et de m'aider comme elle le pouvait, discrètement. Par exemple, quand je venais, elle cuisinait des légumes et de la viande car elle savait que j'en mangeais peu chez moi. Puis elle m'a aidée à trouver du travail, m'a présentée à des gens qui cherchaient des baby-sitters. J'étais très demandée car je pouvais aussi faire réciter les leçons et aider les enfants à faire leurs devoirs. La fréquentation continue de gens issus de milieux si différents du mien contribuait à me changer peu à peu, à enrichir mon univers. Et me permettait de gagner un peu d'argent, que je donnais en échange de ma liberté à ma mère et à mon frère aîné Ahmed. Ce fils aîné trop aimé s'était mué lentement en tyran domestique, encouragé par l'affection sans bornes qu'avait pour lui notre mère. Il faisait régner la terreur à la maison, sur mes frères mais surtout sur mes sœurs. Il n'avait pas dépassé la cinquième, n'avait pas de travail, et nous imposait un carcan moral insoutenable, par la violence quand il le fallait, pour se donner une raison d'être. Mais j'avais des outils pour lui échapper, le premier d'entre eux étant l'argent car il était sans ressources et khatait beaucoup. J'en usais autant que je pouvais.

L'exemple de Nicole, en plus de tout ce qu'elle a fait pour moi et les miens, matériellement, m'a aussi appris l'altruisme. La volonté, le temps et la passion qu'elle consacrait aux autres, c'est tout cela qui m'a permis de me construire telle que je suis aujourd'hui. D'une certaine façon, c'est elle qui a guidé mes premiers pas vers la politique. Elle m'a permis de jeter un pont, celui de l'action, entre les deux univers qui allaient bientôt m'écarteler. Le monde qu'elle m'offrait était celui de la lecture, de l'aisance, de l'ouverture sur l'extérieur, de l'égalité des sexes. Un monde où j'ai appris à être plus posée, plus sérieuse, plus calme. L'autre, le mien, la petite communauté du quartier 3, c'était un morceau de tiers-monde où régnaient, aux côtés de la misère et de l'intolérance, l'amitié, la fraternité, la débrouille ; une autre forme de bonheur sans doute, où dans une ébullition perpétuelle ma vie était rythmée tout entière par la question : comment faire ? Comment faire pour avoir la meilleure part, pour ne pas avoir faim, pour obtenir ceci, pour échapper à cela... ?

Chez Nicole, je me reposais. Tout venait à moi, c'étaient les vacances. Chez moi, je riais beaucoup, je pleurais, et je luttais. Je grandissais.

3

Somalie

Ce matin, le lever est encore plus matinal que de coutume. La maison est en effervescence, ma mère nous houspille, mon père s'éclipse prudemment vers son atelier. Nous, les enfants, nous sommes surexcités : c'est le départ des grandes vacances. Nous partons pour la Somalie, comme tous les étés.

À la gare routière, nous grimpons dans le camion benne spécialement aménagé. Le voyage va durer plus de deux jours. Cette année, c'est ma mère qui nous emmène, mais c'est parfois une tante ou une cousine. Plusieurs familles voyagent ensemble pour partager les frais. On s'entasse comme on peut, moi, comme tous les ans, je grimpe rapidement sur le toit où je vais passer tout le voyage. À l'intérieur, les familles font connaissance et se répartissent l'espace. Le chauffeur et son assistant sautent à l'avant, le moteur gronde, nous partons.

Ce sont d'abord les paysages arides qui nous attendent à la sortie de la ville. Les déserts bruns, ocre, rouges, puis gris, et même parfaitement noirs sous le soleil de plomb, les cours d'eau asséchés, les mers disparues. Le sol est sculpté, rocailleux, il dessine des reliefs étonnants. Les petits tas de pierres dressés par les nomades offrent au regard expérimenté des voyageurs pieux de minuscules mosquées : quelques cailloux pour indiquer la direction de La Mecque, et le tour est joué. D'autres entassements proposent des messages que je ne sais pas déchiffrer, mais le désert se lit comme une carte pour ceux qui y vivent.

Les heures passent, je suis hypnotisée par le spectacle sans fin. J'ai emporté ma cargaison de livres, quand le soleil baisse un peu je les ouvre et je lis, ballottée sur le toit du camion, relevant parfois la tête pour contempler des splendeurs dépouillées. La route longe la mer, la côte très découpée offre des eaux scintillantes d'un bleu insolent. Le roulis du camion nous berce, à l'intérieur les voix se sont tues, tout le monde somnole, les lumières magiques et déclinantes défilent dans le vent. Peu à peu les couleurs changent, et lorsque je vois éclore les premières taches de vert, frais et étonnant, je sais que nous sommes entrés en Somalie.

Le soir, nous dressons un campement au beau milieu de nulle part. On fait chauffer le thé, brûlant et très sucré, que l'on boit dans le noir. On étend nos nattes par terre, côte à côte, et les discussions s'engagent dans la pénombre. C'est l'aventure.

Au deuxième jour, le paysage se fait de plus en plus vert, on entend les premiers chants d'oiseaux, la route s'élève en altitude, il fait moins chaud. Nous traversons des vergers, les arbres s'étendent à perte de vue. Nous approchons.

Hargeisa, le territoire de mes parents, capitale du Somaliland. C'est la cohue, le camion s'arrête en plein marché, des foules sont venues attendre les voyageurs. Pour nous, nos tantes maternelles et paternelles. Elles sont toutes là, prêtes à se disputer chèrement notre présence. Dans les cris et les rires, elles se répartissent les enfants de ma mère. C'est un joyeux désordre, mais l'enjeu est lourd pourtant. Je veux à tout prix aller chez ma grand-mère paternelle.

Dans la famille de ma mère, les maisons sont construites en pierre, les meubles viennent des émirats, et on mange bien. Mais il n'y a pas de liberté possible pour une fille. Je dois porter la tenue traditionnelle, la dirah, voiler mes cheveux et baisser la voix pour parler à mes oncles, je n'ai pas le droit de partager le repas avec les hommes. Mes cousines qui subissent ce traitement toute l'année sont suspicieuses et peu fiables. Elles me considèrent comme un animal étrange, elles m'envient probablement, mais ne me comprennent pas. Là, on se moque de moi quand je lis. On ne me laisse pas sortir sans chaperon et je dois cacher mon visage pour aller au spectacle. Chez certaines de mes tantes, je suis tout juste bonne pour le ménage et la cuisine. Elles nous traitent comme des servantes, mes sœurs et moi. J'aime pourtant énormément la mère de ma mère. C'est une très belle femme, très haute, au teint pâle. Elle a, nouées dans un mouchoir, quelques pièces qu'elle nous donne en cachette pour que nous nous amusions. Mais elle n'a plus de pouvoir dans sa propre maison depuis qu'une de ses filles s'y est installée.

J'ai quatre grands-mères maternelles, car mon grand-père avait quatre femmes. Je ne l'ai pas connu, mais c'était un homme célèbre dans le pays, très respecté. Il faisait partie de l'ethnie Reereghadide, qui peuple l'une des rives du fleuve. En Somalie, tout repose sur la tribu. Le fondement même de la société est tribal, et il n'est pas de Somali qui ne puisse réciter son arbre généalogique en remontant jusqu'aux quatre frères dont est issue la tribu des Issaqs. Le Somaliland, ancienne Somalie britannique, est peuplé d'Issaqs qui se subdivisent en clans-familles. L'unité la plus petite, c'est le ree, on en compte environ deux mille à travers toute la Somalie. Le ree de mon grand-père était riche, de tendance arabo-musulmane, rigoriste dans l'application du Coran. La légende veut que mon grand-père, après une dispute dans un café avec un jeune serveur issu du ree Idah Galeh – une famille plus pauvre, traditionnellement de bergers analphabètes qui vivent juste en face, sur l'autre rive – lui ayant manqué de respect, ait fait le serment qu'aucune de ses filles n'épouserait jamais un homme issu de ce clan.

De ses quatre femmes, mon grand-père a eu une trentaine d'enfants, dont quinze filles. Une dizaine d'entre elles ont épousé un Idah Galeh. Cela en dit long sur le pouvoir de suggestion de quelques formules qu'on voudrait de conjuration... ou sur le caractère indompté des femmes de ma famille.

Mais ma mère est la seule à avoir jeté son dévolu sur un jeune homme pauvre. Ses sœurs ont su trouver une perle qui toucherait le cœur de leur père. Pour ma mère, il n'y avait pas d'espoir. Mes parents ont dû fuir pour vivre leur amour. Ils s'étaient rencontrés adolescents, ils ont passé quelques années sur les routes, pauvres mais amoureux, avant d'échouer dans les faubourgs de Djibouti-ville où l'administration française ne parvenait pas, malgré tous ses efforts, à repousser l'afflux continuel d'immigrants somaliens. Ils sont arrivés dans les années 60, et après avoir exercé quelques petits métiers de subsistance, mon père a trouvé sa place dans les ateliers de l'armée française, où il a été employé comme petite main d'un atelier de couture.

Après quelques années de brouille, ma mère a pu reprendre contact avec sa famille dont elle avait été bannie, et pour nous, les vacances en Somalie ont commencé.

J'ai eu de la chance cette fois, je me suis faufilée comme une anguille jusqu'aux bras puissants de ma tante paternelle, qui m'a aussitôt enserrée. Il faudrait plus que les péroraisons dont l'accablent les sœurs de ma mère pour qu'elle me lâche. Je me cache derrière son dos, en sécurité. Bientôt, elle m'entraîne à sa suite vers Gurieh Saman, le quartier Idah Galeh où elle partage une petite maison avec ma grand-mère, que mon père a fait construire pour elles. Cette tante qui restera toute sa vie célibataire a un homme, qu'elle reçoit la nuit dans le plus grand secret. Ma grand-mère couve avec bienveillance de son œil de verre la tardive et interdite passion amoureuse de sa fille.

Aussitôt dans la maison, je me rue vers la chambre de mon ayeyo, ma grand-mère, et me jette dans ses bras. Sa chambre est une caverne d'Ali Baba. Elle s'y tient le plus souvent accroupie à même le sol, broutant son khat ou fumant du tabac. Je me souviens de l'odeur particulière et du rituel qui accompagnent chacun de ses gestes. On écrase le tabac séché, puis on en bourre le narguilé, qui fume doucement et envahit peu à peu la pièce toujours plongée dans une semi-obscurité, les volets de bois fermés pour protéger du soleil. Sous son lit, on trouve de tout, sous le matelas ou dans des recoins plus secrets. Des petits cadeaux, de la nourriture, du khat. Le plus souvent, je m'installe derrière elle, dans son dos, avec un livre. Elle ne m'empêche jamais de lire, ne se moque pas de moi, ne critique pas ma paresse. Adossée à elle, rassurée par son corps frêle que je sais pourtant d'une force peu commune, je m'imbibe de son odeur familière, de sa chaleur. Je puise en elle une béatitude inconnue.

Ayeyo a un caractère de fer. Un jour, un homme armé, visiblement fou, a fait irruption dans sa petite maison. Il agitait une machette et semblait incontrôlable. Sans perdre son calme, grand-mère l'a fait asseoir, lui a offert du thé et du khat, et a éloigné le coupe-coupe. Après quelques minutes, il mangeait calmement, partageant le repas de mes tantes. Il est ensuite parti, non sans avoir très poliment remercié.

Même après cet épisode, ma grand-mère n'a pas changé de philosophie, elle a continué à vivre porte ouverte, nuit et jour. Elle disait : « Si tu fermes ta porte, tu risques de laisser passer l'ange. »

Les vacances à Gurieh Saman, c'était aussi la liberté. On jouait avec les cousines et les enfants du quartier, on partait tout le jour en excursion dans les vergers environnants, on mangeait des fruits à s'en faire exploser l'estomac (des mangues, des citrons, et tant d'autres fruits que je n'ai jamais revus ailleurs). On essayait de pêcher dans le canal, on jouait sur la place du marché entre les étals. Et le soir, grand-mère nous racontait des contes, des histoires terrifiantes ou énigmatiques, empreintes de sagesse, qui avaient autrefois bercé l'enfance de mon père.

Une autre des sœurs de mon père était mariée, elle était conseillère de quartier et était très respectée. À Gurieh Saman, tout le monde me connaissait et me voyait revenir année après année. J'étais heureuse.

L'été de mes sept ans, il s'est pourtant passé quelque chose que j'ai choisi de raconter ici, car ce que j'ai vécu, plus personne ne devrait avoir à le supporter. J'ai été excisée et infibulée.

Ma mère est venue un soir me chercher chez mon ayeyo pour m'emmener chez une de ses sœurs. Là-bas, elle m'a dit qu'il y aurait Kaltoum et ma cousine Amal qui vivait avec nous à Djibouti. Cela m'a un peu consolée de devoir quitter trop tôt Gurieh Saman. Je n'aurais pas assez de ma vie pour déplorer que ma grand-mère, qui n'avait pas l'air contente, ne se soit pas interposée.

À peine arrivée chez sa sœur, ma mère a quitté la maison – craignait-elle de ne pas supporter les cris de ses filles ? Le lendemain matin, nous avons été réveillées par notre tante et par une femme que nous ne connaissions pas. Elles nous ont prises à tour de rôle, moi d'abord parce que j'étais la plus indisciplinée, ma sœur ensuite, pour qui l'opération avait été mal faite une première fois, puis ma cousine, rendue à demi folle de terreur par nos cris et nos pleurs. Le plan de cette maison, où je n'ai plus jamais remis les pieds, est gravé dans mon cœur, le grand hall frais, les trois chambres tout autour où nous avons passé notre convalescence derrière les persiennes closes, le ciment froid du sol.

L'opération est diaboliquement simple, je me demande parfois qui l'a inventée : on immobilise l'enfant sur le dos, il suffit pour cela d'une femme suffisamment forte, c'est ma tante qui jouait ce rôle et mon visage était écrasé sous le tissu bordeaux de sa robe, c'est tout ce que je voyais, cet épais tissu de coton devant mes yeux. On lui écarte les jambes. À l'aide d'une lame de rasoir, on excise d'abord, c'est-à-dire qu'on tranche une petite partie du clitoris. Cela, c'est l'excision telle qu'elle est pratiquée à travers presque tous les pays d'Afrique, l'excision standard si l'on peut dire. Le but de la manœuvre est de priver la femme du plaisir sexuel. La suite est typique des régions où j'ai vu le jour, elle permet de s'assurer de la manière la plus radicale qui soit de la virginité des épouses. C'est une sorte de ceinture de chasteté naturelle. À l'aide de la même lame, qui servira aussi pour les autres fillettes, on incise les lèvres sur toute leur longueur. Puis on entre dans le bord extérieur des épines qui, lorsqu'on referme les jambes de l'enfant en maintenant les plaies ouvertes l'une contre l'autre, vont jouer un rôle d'agrafes naturelles, et ressouder ainsi la blessure. Un petit passage seulement est laissé pour l'urine et pour le sang menstruel.

Le corps de l'enfant est alors ficelé tout du long dans un lé de tissus, les jambes serrées le plus fort possible. La cicatrisation va prendre plusieurs semaines, elle fait partie de l'opération. Car la fillette, abrutie de douleur et d'incompréhension, terrifiée, alitée tout le jour, est dans un état de faiblesse qui permet à merveille le lavage de cerveau qui va suivre.

J'entendais sangloter doucement ma sœur dans une chambre voisine, et hurler ma cousine qu'on charcutait à son tour. J'étais couchée sur le côté, on avait emporté les draps souillés de sang. Ma tante me malaxait le ventre sans pitié, il fallait que l'urine sorte car c'était le seul désinfectant utilisé, mais je n'y arrivais pas, et elle appuyait de plus belle. Enfin elle réussit, et je me pissais dessus sous son regard satisfait. L'urine brûlait atrocement la plaie.

Je ne sais plus exactement combien de temps cela a duré. Mais toutes ces semaines, dans la pénombre, la voix lancinante des femmes de la maison a rythmé ma somnolence, réitérant les lois qui régiraient ma vie : la femme est soumise à l'homme, elle doit obéissance à son époux, à son père ou à son frère. La femme n'est rien, elle n'est qu'une mère. Le rôle de la femme, c'est la procréation. Tu devras donner satisfaction à ton mari en tout point. Dans l'amour, tu ne devras pas gémir...

Les règles sont innombrables. Je ne m'en souviens pas bien, pas de toutes, mais elles ont marqué mon esprit au fer rouge. J'ai mis des années, toute ma volonté au service de ma libération. J'ai dû guetter les résurgences de ce lavage de cerveau, même tardivement, consciencieusement. Mais ce que je n'ai pas pu réparer, ce que je ne pourrai jamais réparer, c'est ma mutilation.

Mon père était contre l'excision de ses filles. Cet homme original et indépendant ne voulait pas que nous subissions cela. Toutes mes sœurs y sont pourtant passées. On ne lutte pas sans se mouiller contre le poids de la tradition. 100 % des femmes somaliennes sont excisées et le plus souvent infibulées. Ce sont les femmes qui font subir cela à leurs filles. Quand cela changera-t-il ?

Pour terminer sur ce sujet, il me faut encore dire que ma cousine Amal est morte des suites de son excision. Des années plus tard, alors qu'elle vivait en Angleterre et attendait un enfant, les contractions ont commencé, entraînant une telle douleur qu'elle a perdu connaissance. L'ouverture pratiquée le soir de ses noces par son époux n'était pas suffisante pour faire place à l'enfant. Conduite à l'hôpital, soignée par un personnel médical qui a découvert trop tard sa mutilation, elle est morte en couches et l'enfant n'a pas été sauvé.

Mes vacances en Somalie ont continué pourtant, jusqu'en 1987. Puis, la guerre a recommencé, ma famille a été dispersée. La guérilla sporadique qui ensanglante l'histoire du pays depuis l'indépendance n'avait laissé que peu de répit. Chaque fois que j'appelle la Somalie, j'apprends le décès d'un des miens. Deux de mes tantes ont été amputées des jambes. Je ne suis pas retournée à Hargeisa depuis des années. Aujourd'hui, le ministre de la Reconstruction (*sic*) de la Somalie fait vivre sa femme et ses fils dans un camp de réfugiés à Djibouti, où il leur rend visite tous les trois mois, tant la vie est dangereuse au pays. Et ne parlons pas de Mogadiscio, tout entière aux mains des chefs de guerre, qui frappent pour certains leur propre monnaie... La Somalie est un pays en morceaux.

J'aimerais pouvoir aider ce pays qui m'a causé un très grand malheur mais aussi offert tant de bonheurs, et je saisirai chaque occasion pour pouvoir peser, même modestement, sur son destin. La Somalie de mon enfance mérite d'être sauvée.

4

Kaltoum, ma sœur

Ma sœur est morte il y a sept ans et j'ai encore du mal à l'accepter. Quand je pense à elle, je l'imagine seulement partie, en voyage, quelque part. Kaltoum était la meilleure d'entre nous. Si je choisis aujourd'hui de raconter sa triste et courte histoire, mis à part l'amour que je lui portais, c'est parce que son destin est exemplaire ; il est celui des femmes de ces régions. Elle n'a eu aucune chance d'y échapper. Son histoire aurait pu être la mienne. L'existence de Kaltoum est comme la chronique de l'oppression de la femme.

Kaltoum était mon opposée. Quand j'étais piquante et hérissée, elle était douce, quand j'étais rebelle, elle était soumise, quand j'étais furieuse, elle souriait. Elle a payé sa douceur et sa soumission de sa vie.

Elle avait cinq ans quand elle m'a prise dans ses bras pour la première fois, endossant ainsi le rôle qui n'allait plus la quitter, celui de femme. Elle était l'aînée, il était normal qu'elle prenne soin des plus jeunes, pour décharger un peu notre mère de son travail. Avant même d'atteindre l'âge de raison, elle était bonne d'enfants.

Sa douceur et sa gentillesse ont fait de mon enfance un moment plus doux qu'il n'aurait dû être. Elle a été une seconde mère pour nous, plus tendre, plus gentille, plus compréhensive. Grâce à elle, nous avons été heureux.

À sept ans, quand elle a quitté l'école coranique, il n'a pas été question de l'inscrire à l'école primaire, que ce soit la française ou l'arabe. Elle était trop utile à notre mère. Elle faisait le ménage, s'occupait de nous et des bébés qui naissaient, aidait en tout. Mes parents étaient fiers de leur fille si calme et obéissante. On pouvait prévoir déjà qu'elle serait d'une grande beauté. L'ovale parfait de son visage, la couleur claire, caramel, de sa peau, ses cheveux longs et ondulés, la finesse de ses membres, tout faisait penser qu'elle serait une véritable splendeur.

Quand elle a eu dix ans, mes parents l'ont envoyée chez un oncle, un frère de ma mère qui avait « réussi » et vivait en Arabie saoudite. Elle y a passé trois années, durant lesquelles nous n'avons pas eu beaucoup de nouvelles. Quand elle est revenue, elle portait le voile, et elle n'a rien raconté de ce qu'elle avait fait là-bas, de ce qu'elle y avait découvert. Nous n'avons rien demandé non plus. Dans ma famille, on tirait de l'orgueil d'avoir pu envoyer une fille en Arabie saoudite. C'était un gage de succès, et puis elle nous envoyait de l'argent, régulièrement. On ne se posait pas de question. Ce n'est que des années après, quand j'ai découvert la vie dans les Émirats, que j'ai compris qu'elle avait sans doute été placée comme bonne à tout faire. En voyant travailler des enfants, des fillettes, de très jeunes femmes venues de pays moins riches, sans personne à qui demander de l'aide ou même seulement un conseil, j'ai senti mon cœur se serrer. Alors seulement j'ai réalisé ce qu'avait dû être la vie d'une petite fille de dix ans, seule dans un pays inconnu, trimant sans doute, dormant à même le sol d'une cuisine. Mais dans les familles pauvres, c'est une situation qu'on rencontre souvent. On envoie l'un des membres en avant-poste à l'étranger, on profite de ce qu'il arrive à envoyer et on ferme les yeux sur ce qu'il endure forcément. Tout le monde joue ce jeu. Et puis pour mes parents, la grande Arabie saoudite, pays musulman entre tous, c'était un gage qu'il n'arriverait rien à leur fille, qu'elle ne tournerait pas mal.

Elle avait treize ans lorsqu'elle est rentrée. J'étais heureuse de la retrouver. Les prévisions s'étaient réalisées, elle était magnifique ; il fallait donc songer à la marier. Mes parents, qui s'étaient pourtant choisis par amour, n'ont pas un instant pensé à laisser ce choix à leur aînée. La richesse d'un homme, ce sont ses filles. Les dots peuvent atteindre des montants considérables, même dans les milieux les plus misérables. On s'endette à vie pour un mariage, sans aucune hésitation, on met à contribution toute une famille, on emprunte, quoi qu'il arrive on doit pouvoir payer. Mes parents ont décidé de vendre ma sœur.

C'est un homme riche, bien plus âgé (il avait une quarantaine d'années) qui a demandé sa main. La dot était satisfaisante. Pour le mariage, on m'a affublée d'une robe bleue toute neuve. Les festivités ont duré plusieurs jours. Puis la jeune mariée, à ses quinze ans, est partie s'installer dans la maison de son époux. On m'a envoyée avec elle, à la fois pour lui tenir compagnie et pour faire profiter un autre membre de la famille du confort qu'elle allait certainement connaître.

La nuit venue, je me suis couchée sur le canapé. J'étais assez excitée par les événements, un peu intimidée de dormir dans cette nouvelle maison, mais plutôt heureuse. Jusqu'à ce que j'entende les cris. Dans la pièce voisine, ma sœur hurlait, et l'homme la battait. Elle pleurait, appelait à l'aide. Je me suis figée sur mon canapé, le souffle coupé, l'oreille tendue, essayant de deviner ce qui se passait dans cette chambre. Brusquement, Kaltoum a ouvert la porte, elle s'est ruée dans le salon, échevelée, et s'est précipitée vers moi. Elle n'avait que moi, une petite fille de onze ans, pour la protéger. Et j'ai eu tellement peur que je me suis cachée sous le canapé. Son mari est arrivé, il l'a reprise et traînée par les cheveux jusqu'à leur chambre. Jusqu'à l'aube je l'ai entendu la violer et la battre, et elle pleurer et supplier.

Le souvenir de cette nuit me revient souvent. La culpabilité mêlée d'un sentiment d'impuissance – que pouvaient deux gamines contre un homme comme lui –, l'injustice et la fatalité. Kaltoum n'avait pas eu d'enfance. Sa vie de femme allait être plus triste encore. Le jour de son mariage était un 31 décembre, et tous les 31 décembre, je m'enferme chez moi pour pleurer. C'est un jour de deuil.

Si je n'avais pas existé, si elle n'avait pas été tellement belle, si on l'avait envoyée à l'école, si elle avait pu choisir elle-même son époux, qu'aurait été sa vie ?

Au bout de deux mois de mariage, elle s'est sauvée et s'est réfugiée chez mes parents. Ma mère l'a raccompagnée elle-même chez son mari, et a offert un mouton à l'homme pour qu'il pardonne à ma sœur. Elle s'est sauvée encore, ma mère l'a renvoyée, et a racheté un mouton. Il n'y avait pas d'échappatoire.

Quand elle s'est sauvée pour la troisième fois, elle s'est bien gardée de rentrer chez nous. Elle a pris la route pour la Somalie. Je ne sais presque rien des aventures qu'elle a vécues seule. Elle s'est émancipée un peu. Elle est tombée amoureuse d'un vieux professeur qui était déjà marié.

Kaltoum avait à peine dix-sept ans quand elle est revenue chez nos parents, enceinte, répudiée, sa réputation sérieusement écornée. Mes parents avaient honte. Même moi, qui l'aimais tant, j'avais la tête tellement farcie des préceptes traditionnels que je lui ai fait la morale. Je l'ai durement critiquée, non pas d'avoir abandonné son mari, mais d'avoir fait un enfant hors mariage. Je me souviens qu'elle m'a souri et qu'elle a seulement répondu : « Je suis heureuse, moi, de ce bébé. Quand je vais mourir, il restera quelque chose de moi. »

Aujourd'hui, je remercie le ciel d'avoir donné une fille à Kaltoum, car, quand je regarde ma nièce, c'est un peu de ma sœur que je vois.

Après la naissance du bébé, mes parents ont trouvé une place à Dubaï pour Kaltoum. Elle n'est revenue qu'en 1992. Elle a alors rencontré son deuxième époux. C'était un médecin très brillant, le cardiologue qui suivait notre petite sœur Nadjahia. Il avait été interne à l'hôpital de Poitiers, avant de revenir s'installer à Djibouti. Alors qu'on était venues accompagner Nadjahia pour une visite de contrôle, il a vu Kaltoum et a été frappé par sa beauté. Il a demandé sa main à mes parents, qui n'ont été que trop heureux de la lui accorder. Ils ne pensaient pas pouvoir la recaser un jour.

Kaltoum ne s'est pas confiée sur ce qu'elle a enduré lors de ce deuxième mariage. Elle avait mûri et décidé, semble-t-il, de tout accepter. Moins de cinq ans après avoir épousé ce médecin, elle a péri d'une crise d'appendicite pas soignée. L'homme l'avait tout simplement laissée mourir.

Il a demandé à mes parents de lui donner une jeune sœur de sa femme décédée, en se réclamant de la tradition qui, pourtant, n'autorise une telle démarche que pour le bien-être des enfants, lorsqu'il y en a. Huit jours après les funérailles de Kaltoum, il épousait Roda. Elle était excisée et infibulée, il l'a découpée au ciseau comme un boucher qu'il était, avant de la violer. Durant trois mois, il l'a battue et torturée. Mon frère et moi avons finalement décidé de la sortir de là.

Mustapha est allé dans sa maison, a enlevé notre petite sœur martyrisée. Ensuite, nous avons porté plainte auprès d'un tribunal religieux pour mauvais traitements.

Kaltoum était obsédée par la mort, elle l'avait toujours été, comme si elle avait la prescience qu'elle ne vivrait pas longtemps. C'était un être parfait, que la vie a brisé.

Aujourd'hui, Roda vit en Europe. Elle va se marier de nouveau, mais avec un homme qu'elle a choisi, cette fois. J'espère qu'elle sera heureuse.

5

Adolescence

La pauvreté est inconsciente de son état. On n'en souffre que si l'on ouvre les yeux et qu'on contemple son propre dénuement : on voit soudain à quel point on a les mains vides.

Nous n'avions rien. Mais nous étions somaliens et fiers de l'être, nous avions l'idée qu'on valait autant que qui que ce soit. Il n'y avait pas de meubles à la maison, et pas toujours assez à manger pour tout le monde, mais les femmes étaient belles et portaient des bijoux, on célébrait des mariages grandioses pour les filles, cela suffisait. Aujourd'hui que j'ai une maison solide, meublée, que j'assure une existence décente et stable à mes deux garçons, qu'ils sont correctement nourris, scolarisés, ma mère a pitié de moi car je ne porte jamais de bijoux ; elle pense donc que je manque de l'essentiel...

À la maison, nous étions dix enfants, plus cinq de mes cousins que mon père avait dû prendre en charge, et mes parents. Nous vivions dans trois chambres qui avaient été construites progressivement. Plus tard, mes parents ont rajouté un toit sur la cuisine où j'étais née, ce fut la dernière modification de mon foyer avant mon départ. En 1992, mes parents ont été expropriés de leur maison. Ils la louaient depuis des années à un cousin qui était propriétaire du terrain, mais sans aucun papier attestant de la transaction. L'arrangement était uniquement oral, et lorsque l'homme a découvert les améliorations qu'ils avaient apportées à son lot, il a décidé tout simplement de le récupérer et il n'est resté à mes parents que leurs yeux pour pleurer.

Dans notre quartier, nul n'était riche. Ceux qui n'avaient pas trop d'enfants, et surtout des filles (qui procurent les dots), étaient seulement un peu mieux lotis que les autres. Ma meilleure amie du quartier, Ikran, faisait partie de ceux-là ; son père n'avait que cinq enfants, cinq filles. Ils étaient la seule famille du quartier 3 à n'être pas Issaq, et avaient atterri ici à la suite d'une aberration de procédure. Ses parents étaient venus des confins sud de la Somalie. Cela lui permettait de jouir d'une plus grande marge de manœuvre que moi. Le contrôle social que tous faisaient peser sur chacun s'exerçait moins sur elle, une « étrangère ». C'était une très belle fille, que la timidité et la fierté faisaient paraître hautaine. Sa maison était juste en face de la mienne. Comme elle refusait les compromis, comme elle était très silencieuse, on disait dans le voisinage qu'elle tournerait mal, alors qu'elle était de nous deux la plus sérieuse. Aujourd'hui, elle a épousé le seul homme qu'elle ait jamais aimé et elle a à son tour quatre enfants. La seule différence entre son sort et celui de sa mère est qu'elle est institutrice. Elle a ainsi une plus grande liberté intellectuelle, et éventuellement matérielle. Mais elle s'est mise en retrait aussitôt après son mariage, ainsi qu'une femme doit le faire. Elle obtient sans doute toujours ce qu'elle veut, de façon détournée. Elle a intégré les règles du jeu. Bien qu'elle soit toujours mon amie, bien que je descende chez elle à chacun de mes passages à Djibouti, il nous reste peu de choses en commun. Elle fait profil bas devant les hommes et ne parvient pas à masquer complètement la réprobation dans son regard lorsque je sors seule. Elle ne me comprend pas, tandis que je ne la comprends que trop bien. Mais notre enfance nous lie plus sûrement que toute autre chose.

Boulevard 26, presque tout le monde était cousin de ma mère. Le soir, lorsque les femmes s'installaient sur le pas de leur porte, la rue devenait le lieu de tous les dangers pour les adolescentes que nous étions, avides de liberté. S'en échapper relevait pour moi de la très haute stratégie. Ikran, elle, passait simplement, sans répondre aux questions : « Où vas-tu ? Avec qui ? Jusqu'à quelle heure ?... » que toutes les femmes du voisinage semblaient être habilitées à poser en plus de la mère à qui nous avions déjà donné les réponses. Sauvegarder la réputation, la morale, la bonne tenue des filles, c'était l'activité de tout un peuple. Ikran les appelait les commères et ne leur répondait pas. Moi, je ne pouvais pas me permettre cela, et à chaque pas de porte je devais m'arrêter et redonner, patiente, polie et respectueuse, les mêmes réponses : avec ta fille, ma tante, juste dans la rue voisine, son frère est là qui veille sur nous, je rentrerai bientôt...

Je me pliais à cela, je prenais le temps de bâtir des mensonges crédibles, j'acceptais les règles car je tenais à ma liberté. Et elle ne s'obtenait qu'à ce prix. Quand nous sortions ensemble, Ikran et moi, je partais une demi-heure avant elle, pour satisfaire tout le monde. Ikran me traitait affectueusement de *balafe*, cela veut dire, approximativement, raconteuse d'histoires...

Un jour, une voisine m'a dénoncée à mes parents, disant qu'elle m'avait aperçue en ville avec deux militaires. J'ai été battue comme plâtre, au point d'en porter encore des marques. Mais je me suis vengée en accusant cette femme, devant son mari qu'elle craignait, d'avoir menti pour me nuire, et il l'a battue à son tour. Cela aussi c'étaient les règles. J'étais une toute jeune adolescente, je me défendais comme je pouvais, je préservais ma liberté pied à pied. Une fille qui avait mauvaise réputation perdait tout. On lui rasait la tête, on l'attachait à la maison, puis on la mariait de force si l'on pouvait encore le faire. Je risquais trop gros pour me laisser attaquer sans me défendre.

Un week-end, avec mon premier petit ami, un garçon du lycée, je me promenais en toute tranquillité dans les rues du quartier lorsque j'ai vu arriver mon père. Il venait droit sur nous, nous n'avions pas le temps de fuir. Alors j'en ai pris mon parti et j'ai joué le tout pour le tout : je me suis mise à crier et à me débattre. Mon père a accouru, je me suis jetée dans ses bras en disant que ce garçon venait de m'aborder, qu'il m'avait demandé de le suivre, que j'avais peur. Mon petit ami, interloqué, nous dévisageait avec des yeux ronds. Mon père m'a repoussée pour se ruer sur lui. Mon ami s'est enfui, mon père fou furieux à ses trousses. Je leur ai couru après en encourageant mon père, assurée que son âge l'empêcherait de jamais rattraper mon ami. Quand il s'est enfin arrêté, essoufflé et en nage, il a posé son bras sur mes épaules et nous sommes rentrés ensemble à la maison. Nous n'avons plus parlé de cet épisode, mais mon ami ne m'a jamais vraiment pardonnée. Pourtant, je trouvais qu'une petite course, ce n'était rien en regard de ce qui me serait arrivé, à moi... Il ne comprenait pas, mais c'est ma vie que je risquais.

À l'adolescence, en plus de ma lutte quotidienne pour grappiller les menues libertés sans lesquelles je me serais étiolée, j'étais devenue une sorte d'élue du quartier 3, qui ne peut plus gérer son emploi du temps et ne cesse de courir, toujours en retard, toujours demandée. J'avais monté une forme de partenariat avec les bonnes somaliennes qui affluaient près de chez moi. Ces jeunes femmes avaient quitté leur famille pour tenter de venir se placer à Djibouti. Quand elles ne trouvaient pas de travail, elles survivaient en lavant et raccommodant les vêtements qu'on leur portait. Elles occupaient de minuscules baraques sans fenêtres avec un sol en sable. Le travail d'élu local, du moins tel que je le conçois, c'est auprès d'elles que je l'ai appris. Elles avaient besoin de moi pour remplir leurs papiers, pour négocier leur salaire quand elles trouvaient un emploi, pour écrire à leur famille. Elles faisaient parfois vivre des villages entiers en Somalie. Ces jeunes femmes, qui avaient tout quitté, avaient accédé en même temps à une sorte d'indépendance. Malgré leurs difficultés, elles étaient très gaies, plaisantaient de tout, se moquaient de chacun, chahutaient sans cesse. Elles étaient jeunes et libres pour la première fois de leur vie. En échange de mes services, elles cachaient chez elles les vêtements que je ne pouvais revêtir devant mes parents, et m'accueillaient quand je faisais le mur.

Elles étaient tolérantes et blasées. Je les ai aidées autant que je l'ai pu.

J'avais commencé ce rôle de médiatrice du quartier 3, qui occupait de plus en plus mon temps libre, dans l'atelier de mon père. Lorsque je venais le voir le soir, après l'école, il arrivait souvent qu'un de ses collègues, sachant que je faisais des études, me demande de lire pour lui un courrier, que ce soit en français ou en somali. Je voyais dans le regard de mon père qu'il était fier de moi, même s'il se gardait bien de le dire. Il se tenait à mes côtés, raide et sérieux, impassible, tandis que je m'accroupissais pour rédiger une réponse ou expliquer un problème. Partie de là, ma réputation avait voyagé, et toute la journée j'entendais autour de moi : Safia, qu'est-ce qu'il faut faire ? La seule contrepartie, qui me suffisait, était de rencontrer tous ces gens, de découvrir leurs problèmes. Et de faire la fierté de mon père.

Les élus vont souvent vers les autres une fois qu'ils ont le titre. Pour moi, ça a été l'inverse, les mandats ne sont venus que bien longtemps après. Je crois tenir ce trait de caractère de ma mère. Elle avait des réseaux, familiaux et amicaux, aussi complexes qu'inattendus – qui lui avaient permis, par exemple, d'inscrire deux de ses enfants dans le meilleur lycée de la ville. Elle n'avait pas peur de les ouvrir, de dire à ceux qui venaient lui demander conseil : « Va voir un tel de ma part, il t'aidera. » Elle ne pensait pas perdre un peu de son pouvoir en le partageant.

Les rencontres que j'ai faites durant ces années ont contribué à me façonner, à chaque fois encore un peu plus différente de ce que j'aurais dû être. Chaque morceau de liberté acquis me donnait envie du suivant, chaque personnage me faisait désirer en rencontrer d'autres. Je savais confusément que je ne pourrais jamais me contenter d'être une épouse qui baisse les yeux, suit son mari et ne dit jamais un mot plus haut que l'autre. Dès que j'avais un moment de répit, j'écoutais une cassette de Bob Marley que j'avais volée à mes frères et j'ouvrais un livre. Cela rendait ma mère furieuse. Elle ne comprenait pas les paroles des chansons mais y soupçonnait par principe quelque chose d'inconvenant, et ne supportait de toute façon pas de me voir assise à « ne rien faire », comme elle disait. Elle répétait : « Tu n'en as pas marre de lire ? Quand vas-tu te sortir de la tête que tu ne seras jamais blanche ? »

J'obéissais de mauvaise grâce, refermais mon livre et venais l'aider. Je rêvais de m'échapper.

J'étais dure et solide, mais je ne voyais pas venir de solution.

En classe de sixième, j'ai remporté un cross organisé par l'école sous les yeux d'un instructeur « jeunesse et sport » détaché par la France, qui m'a repérée. Ma mère en a été soulagée. Elle s'inquiétait depuis longtemps pour moi, se demandait si ces études qu'elle m'avait poussée à entreprendre étaient vraiment une bonne idée. Après tout, elle aurait peut-être pu me trouver quand même un mari... Mais, dans le fond, je crois qu'elle avait confiance en moi et mon père aussi. Ils voulaient tous les deux que je réussisse, ils croyaient en moi. Mis à part mon frère Mustapha, qui terminait sa scolarité à l'école arabe et qui allait bientôt recevoir une bourse d'étude pour l'Irak, j'étais la seule à avoir dépassé la cinquième. Mes parents étaient analphabètes mais ils n'étaient pas sots. Ils espéraient que je saurais m'en sortir à ma façon. Le sport était peut-être ma chance. Lorsqu'on m'a proposé de devenir athlète, ma mère et moi avons donc passé un marché. J'ai obtenu le droit de faire du sport, donc une immense liberté (les équipes étaient mixtes, des voyages étaient organisés pour les entraînements comme pour les compétitions...) en échange de la promesse tacite que je n'aurais pas une adolescence féminine. Je ne devais pas être considérée comme une fille. Je ne devais pas susciter le désir des hommes. C'est ainsi que j'ai continué longtemps de ressembler à un garçonnet, maigre et vacillant sur ses grandes jambes, cheveux ras, sans maquillage ni minauderie. À l'âge où mes amies ont commencé à cerner leurs yeux de khôl, à porter des robes, des couleurs claires, à cacher leur bouche pour rire avec distinction... j'étais toujours en short et passais mon temps dans la salle de sport.

Dupuis, l'entraîneur du lycée, était ravi de sa nouvelle recrue. Il m'a testée sur 100, 400, 600 ainsi qu'en demi-fond et en fond. Je courais en interclubs et en interdistricts, je représentais mon collège dans des petits marathons. Djibouti prêtait parfois ses athlètes, et j'ai ainsi couru, pour ma plus grande fierté, sous les couleurs de la Somalie. C'était la première fois que je quittais mes parents seule. Le pouvoir organisait de grands jeux sportifs à travers tout le pays. Avant le début des manifestations, nous sommes partis pour un stage d'entraînement d'un mois dans la campagne somalienne, près de la petite ville de Borama. La possibilité de voyager, de découvrir un endroit inconnu des miens m'enivrait au point de me tenir éveillée la nuit. Ce séjour est un souvenir formidable qui m'a réconciliée avec la Somalie. Une vieille femme qui vivait près du camp où nous nous entraînions m'a aidée et rassurée, me nourrissant en cachette car nous n'avions pas énormément à nous mettre sous la dent, et me permettant de prendre des douches chez elle. Elle me faisait penser à mon ayeyo. À la fin du mois, nous sommes partis pour un grand voyage du nord à l'extrême sud de la Somalie, nous sommes allés partout. Dans ce pays encore dirigé à l'époque par Siyad Barre, le sport était un outil hautement politique et surtout très ethnicisé. Ainsi, j'ai été durement critiquée, moi une Issaq, pour avoir accepté de courir sous les couleurs de l'ethnie Gadaboursis. Mais nous étions mercenaires, et je me moquais bien de ce que je considérais avec légèreté comme des querelles superficielles. J'aimais courir, voyager, j'avais soif de liberté, j'étais comblée. L'année suivante, la guerre civile a commencé.

Je suis rentrée épuisée mais heureuse de ce séjour. J'avais à cœur de satisfaire tout le monde, de mes entraîneurs à mes parents, car je sentais que tout ce à quoi je tenais tant, ce petit début d'indépendance chèrement acquis, ne tenait qu'à un fil. Lorsque je partais pour une course, ma mère m'accompagnait toujours. Elle tentait d'enrichir notre quotidien pour que j'aie l'énergie suffisante pour gagner. Ensuite, elle se tenait dans les tribunes, très raide et tendue, jusqu'à la fin de la compétition. Je crois qu'elle n'en a jamais raté une. Mais jamais non plus elle ne m'a encouragée, ni consolée lorsque je perdais. Son soutien était inconditionnel, mais brutal comme toute sa personne.

Pour chaque course gagnée, j'étais récompensée en bons Prisunic, un vrai luxe. Quand nous retournions ensemble vers la maison, avec ma mère, les gamins qui vivaient sous les escaliers m'interpellaient souvent en riant : « Serpent, t'as pas un bon ? » Et ma mère me disait avec indignation : « Apprends à trier tes fréquentations, ma fille ! » Mais sur le chemin du stade au ministère de la Jeunesse et des Sports, je connaissais tout le monde. J'étais une athlète reconnue, et je découvrais le pouvoir fédérateur du sport.

En seconde, Dupuis qui me suivait avec intérêt a évoqué pour moi la possibilité d'obtenir une bourse pour une section sport-études en France. J'ai senti mon cœur se gonfler à exploser à cette idée. Elle était là, ma chance, mon unique chance pensais-je, de quitter Djibouti. Je me suis consacrée à l'entraînement de toutes mes forces, au point de négliger mes études. Je m'entraînais comme une folle, de façon déraisonnable, des heures durant. Je voyais la France briller devant moi, j'étais prête à tout pour y arriver.

Quelques jours avant le départ, le ministre de l'Éducation a annoncé, sans donner plus d'explication, que les bourses étaient supprimées cette année-là. Sans que je puisse rien y faire, mon rêve s'écroulait. J'étais anéantie.

J'avais trop peu travaillé les autres matières, et la déception aidant, mes notes se sont écroulées. Ma mère m'a si bien secoué les puces que je me suis réveillée. Puis elle s'est battue pour m'éviter le lycée professionnel. J'ai redoublé. J'étais abattue, déçue, épuisée. C'est dans cet état quasi dépressif que j'ai fait ma crise mystique...

Au lycée, il y avait de plus en plus de filles voilées. Djibouti faisait partie de la Ligue arabe, et la mode était à l'Arabie saoudite. Une de mes amies qui portait le voile depuis quelques années a entrepris ma conversion. J'étais émotionnellement fragilisée par les déceptions que m'avait causées mon échec en sport-études, j'étais vulnérable. Elle m'a beaucoup parlé sans paraître me juger, puis elle m'a prêté des cassettes. De retour à la maison, je me suis isolée pour les écouter. Un homme à la voix très douce parlait, et il me semblait que c'était à moi seule qu'il s'adressait. Chacun de ses mots tombait juste, comme s'il avait su exactement qui j'étais. Bientôt, je versais toutes les larmes de mon corps, incapable de m'arrêter. Il avait raison. J'étais mauvaise. J'étais vile. J'étais faible. Mon seul recours, c'était Allah. Pour en être digne, le voile n'était que le premier pas. Je devais aller à sa rencontre. Du coffre que je partageais avec mes sœurs j'ai tiré les vêtements les plus couvrants que j'ai trouvés : une grande jupe, un T-shirt à manches longues, et un foulard pour mes cheveux. Après m'être ainsi attifée et avoir séché mes larmes, je suis partie rendre visite à nos voisins, en leur présentant mes excuses pour ma mauvaise conduite passée. Je faisais publiquement acte de contrition. Puis je suis rentrée me prostrer à la maison. Quand mon père est arrivé ce sòir-là, m'a mère m'a désignée à lui d'un signe de tête. Il a demandé ce qui me prenait, elle a simplement haussé les épaules d'un air excédé, alors il est venu me parler. J'ai déclaré que je venais de prendre le chemin de l'islam, que je conformerais désormais chacun de mes actes aux prescriptions de Mahomet. Il m'a répondu : « Prends le temps de connaître, ma fille. » Je l'ai aussitôt considéré comme un mécréant, lui qui était si pieux, qui faisait ses cinq prières et pratiquait la zakat en dépit de sa situation difficile.

Trois jours plus tard, je tenais bon mais je commençais à avoir chaud. Le week-end suivant, un ami est venu me chercher, avec qui j'avais le projet de me rendre sur une île du golfe. C'était mon petit ami, il me fréquentait au mépris des réticences de sa famille qui voyait d'un mauvais œil son histoire avec une fille pauvre. Il allait un jour hériter de l'empire commercial bâti par son père, il lui faudrait une femme plus convenable. Mais nous étions amoureux. Mes parents, eux, qui le connaissaient depuis longtemps, feignaient de le prendre pour un simple camarade de classe. Il était beau, gentil, et surtout riche ; devant cela, leurs préceptes les plus sévères sautaient allégrement...

En arrivant, il m'a trouvée voilée et très fermée. Il ne s'est pas moqué de moi, n'a pas essayé de me faire changer d'avis, alors j'ai accepté de l'accompagner. Arrivé sur l'île, il n'a pas non plus essayé de me convaincre de retirer mon foulard. Alors je l'ai retiré, sans presque m'en rendre compte. Et samedi, quand je suis retournée à l'école, de nouveau vêtue d'un short et tête nue, personne ne s'est permis la moindre réflexion.

Quelques semaines plus tard, des journalistes sont venus au lycée. Ils faisaient un reportage sur le voile, le proviseur m'a désignée à eux pour une éventuelle interview. Ravie de ce quart d'heure de célébrité, j'ai raconté mon histoire avec force détails, ai abondamment commenté l'anecdote, expliquant qu'il s'agissait là d'un véritable lavage de cerveau, que le voile était une aberration, que le Coran ne l'imposait pas et que sous nos climats, par cinquante degrés à l'ombre, il s'agissait carrément d'une monstruosité.

Le soir même, au quartier, je regardais le poste de télévision que ma sœur nous avait envoyé des

Émirats, assise à côté de mon père, quand le reportage a commencé. Mon visage est apparu en gros plan, et ils n'ont diffusé que mon analyse, assez abrupte, sur le voile, sans raconter l'histoire qui précédait. Aussitôt mes derniers mots prononcés, j'ai reçu la main de mon père dans la figure. J'étais estomaquée. Il ne m'avait pas soutenue lorsque j'avais décidé de porter un foulard, et voilà qu'il me battait quand je l'enlevais ? À mes questions, il a répondu sèchement : « La religion, c'est une affaire entre Dieu et toi, je te l'ai dit cent fois. Nul ne t'autorise à te prononcer au nom de tous. » Puis il s'est tourné vers l'écran, me laissant remâcher la leçon, et mon humiliation.

Aujourd'hui, en tant que musulmane, je considère cette question avec une grande prudence, et je suis plus fermement que jamais attachée à la laïcité de l'espace public. Je crois que chacun doit mettre sa religion de côté, scrupuleusement. Le respect de tous passe par là. C'est pour cette raison que je choisis délibérément le terme de voile et non celui de foulard. Le voile, le *hijab*, signifie ce qui est caché, occulté. C'est-à-dire la condition féminine. Ce n'est pas une parure, ce n'est pas un attribut anodin. Pour être autre chose que la marque de l'infériorité de la condition féminine, il doit être adopté en toute liberté et en toute connaissance de cause, loin des pressions sociales et familiales. Néanmoins, il est facile de braquer un adolescent dans sa révolte, et il est dangereux de le couper du monde. L'exclusion ne doit donc être utilisée qu'en tout dernier recours, quand tout a été essayé. Mais je connais, pour l'avoir vécu, le monde que peuvent imposer les intégristes religieux, et je n'en veux pas.

À Djibouti, le contrôle exercé par la société, principalement sur les femmes, est de tous les instants. Quel que soit le quartier, je n'avais aucune chance, dans le fond, d'y échapper. Je parvenais simplement, au prix d'une course épuisante, de mensonges permanents, à dérober des petits morceaux de liberté. Jamais rien de fondamental, pourtant. J'avais la conscience lancinante qu'un destin me guettait. Mais lorsque je regardais autour de moi, je ne voyais pas d'échappatoire. Alors je zigzaguais, serpent, entre tous ces groupes, en attendant d'être rattrapée : les filles de l'école et celles du quartier, si différentes et pourtant semblables, ma famille, les Lambron, le sport, mes petits amis.

Le soir, quand je m'abattais, épuisée, sur le lit que je partageais avec mes sœurs, dans la nuit parfaitement noire de notre cabane où il faisait si chaud, malgré la porte que nous laissions entrebâillée, je ne parvenais pourtant pas à dormir. L'énergie qui me portait toute la journée me consumait à présent. Dans le silence toujours relatif du quartier 3, dans le calme volé pour quelques heures à la proximité et à l'entassement qui faisaient nos vies, la terreur de rester prisonnière que je refoulais tout le jour m'envahissait et je cherchais, affolée, le moyen de m'en sortir.

Deuxième partie

La fuite

1

Prisonnière

L'année de terminale a commencé. J'avais choisi la section générale, le bac G. Comme les années précédentes, je travaillais d'arrache-pied toute la journée, faisant l'essentiel de mon travail scolaire en classe ou immédiatement après les cours. Je consacrais mes soirées à l'entraînement avec l'équipe nationale d'athlétisme, qui connaissait son heure de gloire depuis que notre champion Ahmed Sala avait remporté le marathon à Tokyo en 1988. Ensuite je regagnais le quartier 3, encore trop fringante. Je passais quelques heures à donner des coups de main aux voisins pour leurs problèmes administratifs, je jouais l'écrivain public. Sans en avoir conscience, je remplissais mes journées au maximum, me laissant ainsi le moins de temps pour penser. Je tentais de m'abrutir, de me fatiguer suffisamment pour éviter les nuits d'insomnie qui m'attendaient pourtant.

La situation politique était désastreuse à Djibouti. Depuis l'indépendance, un monopartisme sans concession régnait sur le pays. Le président

Hassan Gouled Aptidon était toujours au pouvoir et n'entendait pas en bouger. Sous un calme trompeur, la société djiboutienne vivait dans un carcan de fer.

Je n'étais pas encore politisée quand j'ai fait mon premier voyage en Côte-d'Ivoire mais quelques mots tout simples ont provoqué chez moi un réveil salutaire.

Les jeux de la francophonie étaient organisés à Yamoussoukro, la capitale ivoirienne. J'étais sélectionnée dans l'équipe des coureurs. Une troupe de théâtre amateur nous accompagnait. Pour partir, j'ai dû aller faire une demande de passeport. En revenant vers l'école, le précieux carnet vert en main, j'y ai découvert l'inscription suivante en regard de ma photo : passeport donnant droit à l'entrée dans tous pays sauf Afrique du Sud et Israël. De la lecture de ces quelques mots date ma prise de conscience politique, du moins un premier questionnement en matière de politique internationale. Jusque-là, j'avais toujours été trop préoccupée par ma propre situation pour être capable de réfléchir à une si grande échelle. Je ne savais rien de ce qui se passait hors des frontières de Djibouti. Ma vision de l'Afrique du Sud était superficielle : c'était l'apartheid, la mort, l'horreur. Découvrir que mon passeport m'interdisait d'y mettre les pieds m'a au contraire forcée à m'y intéresser de plus près. Pour la première fois, j'ai réfléchi à ce qui se passait là-bas. Je suis allée à la bibliothèque du lycée pour me documenter, j'ai lu les ouvrages qu'on y trouvait sur Mandela, sur l'ANC, sur la résistance des townships, sur le peuple zoulou. J'ai sangloté des heures sur les pages d'*Une saison blanche et sèche.* De là je suis passée à des lectures plus généralistes sur la question de la négritude. Je lisais, pour la première fois, des écrivains noirs, réalisant avec incrédulité que je n'avais jamais lu que des Blancs. Alex Halé, des textes zoulous, Hampaté Bâ, Ahmadou Kourouma. Je découvrais l'existence d'une culture propre à mon continent, et je m'y suis plongée avec passion.

La deuxième restriction concernait Israël. Sans rien connaître de la situation et à contre-courant de la position officielle de mon pays, je me sentais instinctivement solidaire d'Israël, puisque le gouvernement qui m'opprimait appartenait à la Ligue arabe et condamnait l'État hébreu. Je ne connaissais du judaïsme que sa version éthiopienne, les Falachas, des juifs noirs qui vivent selon les préceptes de la Thora. J'ai commencé alors à me documenter sur la question, et la découverte de la complexité historique et géographique de la question israélo-palestinienne a fait évoluer mon intransigeance. J'ai pris conscience des souffrances du peuple palestinien, mais je ne me suis jamais départie pour autant de ma sympathie spontanée à l'égard du peuple israélien.

Mon départ pour l'Afrique de l'Ouest s'est effectué sous les couleurs d'un racisme éclatant. Pour les habitants de la Corne de l'Afrique, l'autre côté du continent est envisagé avec un certain dégoût. Ma mère, esclave des préjugés et n'ayant jamais cherché à s'en débarrasser, était convaincue que la Côte-d'Ivoire était peuplée de sauvages vêtus seulement de pagnes de paille, très probablement cannibales si on les laissait faire, passablement idiots en tout état de cause. Tandis qu'elle m'aidait à faire ma valise, elle me disait sans cesse : « Tu n'auras pas besoin de ça là-bas, ce sont des sauvages tu sais. » Ces clichés, extrêmement violents et très répandus dans la société djiboutienne, étaient véhiculés sous forme d'histoires populaires connues de tous, ainsi que par la télévision.

Le jour venu, je suis montée dans l'avion de la compagnie Air Afrique en compagnie de mon équipe. Pour quasiment tous, il s'agissait de notre premier voyage aérien et nous masquions notre excitation en chahutant. Pourtant, lorsque l'avion a décollé, un grand silence a régné un moment. J'avais choisi une place près du hublot, où j'ai passé le vol entier le nez collé contre la vitre. Nous avions une escale à Addis-Abeba où nous avons passé une nuit dans un hôtel incroyablement luxueux. La seule chose que je connaissais de l'Éthiopie, c'étaient les livres de Monfreid, et le communisme de celui qu'on appelait le Négus rouge. Je n'en ai pas découvert beaucoup plus ce jour-là, que j'ai passé avec mes camarades à examiner les salles de bains modernes. Le soir, nous avons beaucoup ri, car certains d'entre nous n'avaient jamais eu l'occasion de se servir d'une fourchette et se montraient maladroits. J'étais heureuse que mes séjours chez Nicole Lambron m'évitent l'humiliation d'un apprentissage public.

Le lendemain, le soir tombait déjà quand nous avons atterri à l'aéroport Houphouët Boigny d'Abidjan. Il était moins moderne que celui d'Addis, mais faisait passer celui de Djibouti pour un vulgaire hangar.

Ce jour-là, je suis tombée amoureuse de la Côte-d'Ivoire.

À Djibouti, la violence règne jusque dans la façon de parler. Même entre amis, au sein de la famille, les rapports sont tendus, les voix claquantes. À Abidjan, on m'a dit « Bonjour mademoiselle » en riant, et j'ai fondu.

Le crépuscule était d'un bleu indigo, avec des nuages couleur de feu au-dessus de la forêt humide qui encerclait l'aéroport. Les silhouettes noires des arbres qu'on pouvait encore, malgré la lumière qui baissait vite, deviner gras, lourds, épais, riches, se détachaient sur les bords de la route. Nous étions entassés dans un minibus qui cahotait en direction de Yamoussoukro, les fenêtres grandes ouvertes laissant arriver jusqu'à nous les odeurs inconnues d'une végétation gorgée d'eau, d'une terre riche et imbibée. Quand nous traversions des villages, le chauffeur ralentissait à peine mais klaxonnait furieusement, et j'avais juste le temps d'apercevoir d'altières silhouettes, d'entendre des rires, de voir briller devant les portes des maisons la lumière des braseros autour desquels se rassemblaient les villageois. Les enfants saluaient de la main notre minibus qui filait.

Yamoussoukro était une cité moderne construite pour désengorger Abidjan et devenir la capitale administrative du pays. Dans les faubourgs s'étendaient les plantations de café, de cacao, et les villas cossues des planteurs parsemaient les collines : la Côte-d'Ivoire était riche, le pays était encore en pleine expansion. La folie des grandeurs du président avait fait de Yamoussoukro une petite ville faite de bâtiments surdimensionnés, d'énormes installations sportives et universitaires. Le stade était magnifique, je n'avais jamais vu une piste si belle. J'y ai couru un demi-fond, pour lequel j'ai remporté une médaille. Je conserve précieusement la photo parue dans la presse locale, sur laquelle je figure, tout de suite après la course, radieuse et... pieds nus.

Nous sommes restés deux semaines en Côte-d'Ivoire. La liberté des mœurs, la facilité de contact que permettait cette société m'ont littéralement tourné la tête. Ici, on pouvait saluer un homme, comme je voyais de grandes et belles femmes le faire partout dans les rues, sans passer pour une traînée, sans risquer sa réputation. Sur les trottoirs et les marchés, dans les cafés, les hommes et les femmes s'interpellaient vivement. Ils discutaient en se tenant longtemps la main, s'embrassaient, et j'avais l'impression qu'ils plaisantaient tout le jour. Pour la première fois, je voyais la société d'où je venais de l'extérieur, j'avais enfin un point de comparaison; ce que j'avais toujours soupçonné m'éclatait au visage : la violence, verbale toujours, physique souvent, la rigidité, le contrôle permanent exercé sur chacun, l'insupportable domination des femmes par les hommes, le système de classe rigoriste... Djibouti était faite de tout cela. En Côte-d'Ivoire, je découvrais la douceur et la légèreté, l'égalité aussi, me semblait-il.

Quand le voyage a pris fin, quand le minibus a repris la route vers Abidjan et l'aéroport, j'ai dû retenir mes larmes en regardant s'éloigner le paradis découvert. J'ai fait le serment d'y retourner un jour.

En 1988, la guerre civile a éclaté en Somalie. Les réfugiés ont commencé à affluer à Djibouti. La famine a débuté tout de suite. Nous avons perdu contact avec une partie de notre famille. Plusieurs de mes frères et sœurs étaient à l'époque en Somalie. Quand les bombardements ont commencé sur Hargeisa, en pleine nuit, une de mes jeunes sœurs, Roda, qui dormait chez une tante, a perdu la tête. Paniquée, dans la confusion qui éclatait, elle s'est enfuie dans la nuit et elle a tout simplement disparu. Après quelques jours, une tante a réussi à prévenir mes parents que la petite Roda était portée manquante. Ma mère, malade d'inquiétude, a tenté de mobiliser son gigantesque réseau de connaissances. Elle interpellait les réfugiés qui débarquaient, hagards, dans notre quartier, donnait son nom, le nom de ma sœur, racontait inlassablement son histoire. Le moindre détail, le plus petit indice soulevait des espoirs fous, jamais récompensés. Quand le gouvernement a commencé à construire les camps dans le désert, ma mère s'est mise à les hanter, espérant y retrouver sa petite fille. Elle a mis un an à parvenir à ses fins. Elle l'a finalement récupérée dans un camp installé à la frontière entre Djibouti et l'Éthiopie, à Diri Dawa. Quand elles sont revenues, nous avons trouvé Roda décharnée, très faible, presque incapable de se déplacer seule. Elle ne parlait plus, ne se nourrissait qu'en cachette et elle mouillait son lit toutes les nuits. Son visage amaigri était déformé par l'angoisse, ses pupilles dilatées, comme assistant sans trêve à un cauchemar qui se déroulait dans son souvenir. Je sais aujourd'hui qu'un suivi psychiatrique l'aurait aidée, mais ce n'était pas dans notre culture, ni dans nos moyens. Nous ne lui avons pas posé de questions, nous nous sommes contentés de la réintégrer dans la famille, de la nourrir, et d'attendre que ça aille mieux. Au bout de quelques mois, elle a recommencé à s'exprimer. Aujourd'hui, elle va bien, mais elle n'a jamais raconté à quiconque les atrocités qu'elle a peut-être subies, et dont elle a en tout cas été le témoin.

Je me souviens des réfugiés que nous voyions arriver, hâves, qui n'avaient presque plus figure humaine. Je revois leurs longues silhouettes avancer en titubant dans le désert, s'épaulant les uns les autres, les femmes portant des enfants presque morts au creux de leurs bras décharnés. C'était l'enfer. La Somalie s'enfonçait dans l'horreur, le Somaliland faisait sécession, un peuple était à l'agonie.

À Djibouti, le pouvoir s'accrochait, la presse n'était pas libre. La seule source fiable d'information était RFI, que j'écoutais avec passion pour tenter de déchiffrer le chaos dans lequel sombrait la région.

En 1990, l'année où j'ai passé mon bac, une petite annonce a été accrochée sur les murs du lycée. Sur ordre du ministère, la police recrutait des femmes. Il s'agissait probablement de contenter un généreux donateur occidental en offrant une preuve du prétendu modernisme de la société djiboutienne. Peu m'importait, j'approchais de la fin de mes études, il me fallait trouver un travail, et je décidai qu'inspectrice ferait parfaitement mon affaire.

Je suis allée déposer ma candidature au commissariat central de la ville. Le commissaire qui m'a reçue, maigre et distingué, aux cheveux poivre et sel, s'exprimait dans un français châtié. Il m'a laissé entendre que tout semblait bien parti, ma candidature était retenue, on me contacterait dans les semaines à venir. Un mois plus tard, j'ai effectivement été reçue, par un autre inspecteur cette fois. Après quelques questions d'usage, il m'a soudain demandé si j'étais Issa. C'était à peine une question, il était certain de son fait. Mais j'ai secoué la tête, j'ai dit que j'étais Issaq. Il a levé les yeux sur moi, l'air furieux :

— Vous n'êtes pas djiboutienne ? Vous me faites perdre mon temps.

J'étais estomaquée. Pas djiboutienne ? Moi qui étais née ici ? Moi qui courais pour le pays depuis près de six ans maintenant, rapportant des médailles et des coupes. Pas djiboutienne, moi qui n'avais le droit de rien faire car justement je l'étais, djiboutienne. J'en bégayais d'indignation, de stupéfaction. Mais les consignes étaient strictes, le gouvernement cherchait à rééquilibrer « ethniquement » ses administrations, il n'y avait pas de place pour une Issaq, quoi que j'en dise. Je suis sortie sonnée du commissariat. Quelques jours plus tard, j'ai appris qu'une de mes amies avait eu le poste. Elle était de la bonne ethnie, elle. Elle avait le droit de travailler. Moi, j'étais devenue une étrangère dans mon propre pays, celui auquel on voulait me renvoyer était à feu et à sang. Plus que jamais, j'étais acculée. La rage et la frustration m'étouffaient, car tout ce que je croyais avoir conquis à la force de mes jambes, en courant pour Djibouti, à la force de mon cerveau, en menant de bonnes études, j'apprenais aujourd'hui que tout cela ne valait rien.

Je comprends, pour l'avoir vécue, la rage que provoquent ces manifestations de rejet chez des jeunes issus de l'immigration, mais nés ou élevés ici et qui considèrent la France comme leur pays. C'est une colère violente, un sentiment dangereux qu'être rejeté par celui qu'on croyait sien. Ces comportements, qu'ils émanent de personnes individuelles (employeurs, propriétaires immobiliers, patrons de boîte de nuit) ou d'administrations (les préfectures, les « bavures » dans les discours politiques, la police...), sont inacceptables. Ils nourrissent la frustration, fissurent la société, ils sont cruels et destructeurs.

Ce jour-là, en sortant du commissariat, tremblante de rage et retenant mes larmes, j'ai décidé de ne plus jamais courir pour Djibouti. L'entraîneur à qui j'ai annoncé ma décision dès le lendemain n'a jamais pu me faire revenir dessus. Je ne lui en ai pas donné le motif, je n'ai raconté cet épisode à personne tant je le trouvais mortifiant. Mais je n'ai plus jamais porté les couleurs de Djibouti sur un stade. C'était la seule vengeance possible. Et j'ai cherché plus fébrilement que jamais un moyen de fuir pour de bon.

Mon frère Mustapha venait de partir pour l'Irak, je me sentais de plus en plus isolée au sein de ma famille. C'est alors que je me suis souvenue de la Côte-d'Ivoire. Après le baccalauréat, les étudiants comptaient tous sur la France qui accordait chaque année des visas aux bacheliers de ses anciennes colonies. Mais j'avais encore en tête l'échec cuisant de ma tentative pour faire sport-études, et puis j'avais eu trop de difficultés pour ne miser que sur un seul cheval. J'ai appris que la CONFEJESS, la Confédération des pays francophones, offrait à l'issue d'un concours des visas et des bourses aux jeunes souhaitant étudier en Afrique de l'Ouest pour devenir professeurs de sport. La première bourse était pour la Côte-d'Ivoire, la seconde pour le Sénégal. Elles valaient pour cinq années d'études. J'ai décidé, sans en parler à personne, de tenter ce concours. Je suis arrivée première. Mon rêve allait devenir réalité, il ne me restait qu'à attendre patiemment la fin de l'année, à réussir mon bac, et à m'envoler pour la liberté.

Les révisions ont commencé. Quelques mois avant le début des épreuves, un jeune professeur stagiaire nous apprit, à la sortie d'un examen blanc, qu'il n'y aurait pas de bourses pour la France, l'année serait aussi blanche que l'examen que nous venions de passer. La France participait à la construction d'une université djiboutienne qui aurait dû être finie. Mais elle ne l'était pas. Elle n'avait donc pas prévu d'accorder, en plus de son financement, de bourses d'études et avait suspendu ses subventions. Une année scolaire entière était sacrifiée. C'était une année de perdue pour des jeunes qui n'avaient en aucun cas les moyens d'un tel luxe. Autour de moi s'écroulaient les rêves de mes camarades. La consternation, la désolation suivirent l'annonce du professeur. Et l'on vit les étudiants aisés, qui n'avaient jamais compté que sur les financements familiaux, se détourner d'abord d'un air gêné puis retourner à leurs révisions. Ainsi allait le monde djiboutien.

Mais la nouvelle commença à circuler, enflant lentement, provoquant chaque fois une indignation un peu plus forte, une révolte un peu plus construite. Et, tout doucement, les élèves de terminale entrèrent en grève.

En France, les contestations estudiantines et lycéennes sont fréquentes, mais dans un pays sans liberté comme l'était Djibouti, la démarche était autrement plus rare. Et plus dangereuse. En 1990, la jeunesse n'avait pas l'habitude de la mobilisation et de l'action politique, son inculture militante était profonde, et la grève fut longue à s'installer. Mais l'on sentait, dans toute la société civile, gronder le commencement de révolte qui n'allait exploser que l'année suivante. La société bougeait, un peu.

Au début, je me suis tenue à l'écart du mouvement. Je travaillais pour le bac, je n'étais pas vraiment concernée, ayant perdu il y a longtemps le rêve de venir vivre en France. Je me sentais incapable d'être déçue désormais, trop consciente des lois qui régissaient le monde. C'est ma mère qui, sans le vouloir, bien au contraire, m'a sortie de ma léthargie. Elle voyait monter l'agitation dans la ville et me considérait avec inquiétude. Elle croyait que mon calme et mon détachement n'étaient que de façade, et elle a commencé à prêcher, dans le vide d'abord : « Tu y es presque, ma fille, tu touches au but. Bientôt, tu t'en vas. Ne gâche pas tout maintenant. » Elle connaissait mon penchant à me battre contre des moulins à vent, elle voulait me protéger. « Ne te mets pas dans les ennuis, ils ne te le pardonneraient pas. N'oublie pas que tu n'es pas d'ici, fais-toi petite, passe entre les gouttes... » On peut dire que c'est elle qui m'a mis des idées en tête.

Dans ma classe, nous étions neuf amis très soudés. Nous étions tous des enfants de milieu modeste (bien qu'aucun ne soit issu d'une famille aussi misérable que la mienne) arrivés chacun dans ce lycée au gré d'une histoire chaotique. J'étais la seule fille de la bande, et n'y avait été admise qu'en raison du fait, justement, que j'étais si peu fille. Nous étions un peu exaltés, nous avions l'idée que peut-être un grand destin nous attendait. L'Afrique nous semblait à l'agonie, nous nous voulions ses sauveurs. Nous étions nourris de panafricanisme, très influencés aussi par des leaders comme Gandhi. Notre culture politique était encore en gestation, nos références un peu éparses allaient de Bob Marley à Mitterrand. Un beau matin, après une provocation de l'intendant du lycée, que nous détestions, nous nous sommes retrouvés tous les neuf et, après concertation, nous avons rejoint la grève. Le pauvre homme, qui avait été recueilli et élevé par les sœurs et qui vouait un culte sans pareil à l'autorité, s'est mordu les doigts de nous avoir poussés à la rébellion à force d'injustice et d'intransigeance.

Rapidement, notre petit groupe est devenu le noyau d'encadrement du mouvement, qui en manquait cruellement. Nous lui avons permis d'exister durablement. Tous les matins, à 7 heures, les grévistes devaient se retrouver sous le préau du lycée. Nous faisions l'appel. Il ne s'agissait pas de sécher, il fallait avoir de la visibilité. Quand un lycéen manquait à l'appel, l'un de nous était envoyé pour le chercher jusque chez lui et le ramener, par la peau du cou s'il le fallait. Au bout d'un mois, toutes les terminales du lycée étaient en grève, et nous avons accueilli aussi des élèves plus jeunes. La nouvelle de l'occupation du lycée général de la ville a commencé à faire du bruit, cela ne pouvait pas passer inaperçu plus longtemps. Les journaux ont été obligés de traiter le sujet. Le lycée professionnel et des collèges aussi ont entendu parler du mouvement et nous ont rejoints. Ma mère en pleurait de fureur, et je ne rentrais presque plus chez moi pour ne pas avoir à affronter son angoisse et sa colère.

Deux mois ont passé avant que le ministre consente à nous recevoir. Quand nous avons appris la nouvelle, ce fut une explosion de joie, nous avons dansé et rêvé un peu... pour déchanter très vite. La rencontre qui suivit, entre le ministre et les délégués étudiants, peut à tout le mieux porter le nom d'audition. Il n'écouta pas un mot de ce que nous avions à lui dire, aucune de nos doléances ne fut entendue. Il se contenta de nous ordonner sèchement de cesser nos enfantillages et de reprendre les cours. Je pense qu'il n'aurait probablement pas eu beaucoup de peine à se faire obéir, tant le respect de l'ordre établi était grand chez la plupart d'entre nous. Il lui aurait suffi de nous donner un minimum de sujets de satisfaction. Mais il était arrogant, hostile, ennuyé. L'entrevue ne fit qu'empirer la situation.

Le sit-in a continué. Cette fois, la police est venue, kalachnikov en avant, nous menacer. La présence de quelques correspondants de la presse française nous a protégés du pire. Nous avons alors décidé d'organiser une marche de protestation en direction du palais présidentiel. La manifestation a eu lieu sur les avenues prospères du Plateau, bien encadrée par les organisateurs, c'est-à-dire nous, et plus encore par des centaines de gardes et de policiers sur le pied de guerre. Le déploiement de force était grotesque au regard de la poignée d'étudiants réclamant seulement le rétablissement de leur bourse d'études, une chance, une seule, d'échapper à la triste condition qui leur était promise sur le sol de Djibouti. La marche était assez silencieuse, nous étions plus impressionnés par ce que nous faisions que par les forces de l'ordre. La rébellion était une chose très nouvelle pour la jeunesse locale. Nous empruntâmes l'avenue Charles-de-Gaulle, puis la police donna l'ordre de dispersion. Dans une sorte de confusion innocente, il ne fut pas suivi, et nous fûmes emmenés, comme des moutons, sans la moindre réaction, jusqu'au quartier 7. Loin du centre, on nous rassembla sur un terrain marécageux, près d'une déchetterie et on nous parqua sur une friche industrielle cerclée de grillages. Ensuite, et toujours très tranquillement, on nous fit tous monter dans des camions. Tous les manifestants furent embarqués et conduits dans des prisons situées loin de la ville.

J'avais été emmenée avec ceux qui étaient considérés comme les leaders du mouvement. Nous avons été interrogés séparément pendant des heures. Les policiers voulaient savoir qui se tenait derrière nous, quelle puissance étrangère nous avait manipulés, qui nous payait pour déstabiliser le régime. La paranoïa était très grande, car les guerres et les famines se répandant dans la région, Djibouti était assaillie de réfugiés. Financée par des Occidentaux qui lui réclamaient en échange (assez faiblement du reste) quelques garanties démocratiques, le pays se vivait en état de siège.

Nous étions mal tombés.

Ma mère, avec son habituelle et infatigable débrouillardise, a trouvé un cousin qui travaillait au commissariat et a réussi à le convaincre de me faire sortir. Mais j'ai refusé de partir tant que les autres n'étaient pas libérés. Nous sommes restés en prison deux jours avant que le pays ne s'émeuve du sort de ses futurs bacheliers. Les portes des cellules se sont ouvertes, nous avons passé notre bac, et les bourses ont été rétablies. Nous avions eu gain de cause.

Avec les neuf, on a organisé une immense fête dans une vraie boîte de nuit, qui clamait fièrement son nom en grandes lettres peintes : *Après le sit-in, voici le dancing.* La soirée (qui commençait tôt pour que les filles soient autorisées à venir) a été un succès, nous avons gagné un beau pactole. Ma conscience politique encore à peine naissante s'était pleinement satisfaite de ces deux mois de rébellion. Maintenant que les impératifs de la vie quotidienne revenaient au premier plan, j'étais ravie de pouvoir me servir de mes nouvelles connaissances pour empocher quelques sous, de quoi me refaire une garde-robe complète et m'acheter de nouveaux livres en prévision de mon départ pour l'aventure. Car, à l'autre bout de l'été, l'Afrique de l'Ouest me tendait les bras.

2

Dakar

J'ai fermé ma valise. Ma mère y a glissé sans mot dire 500 francs français, la quasi-totalité de ce que gagnait mon père en un mois. Je lui avais donné au début de l'été la plus grande partie de ce que notre dancing post-gréviste nous avait rapporté. Elle m'a embrassée avec brusquerie, puis elle m'a dit :

— À partir du mois d'octobre, tu nous enverras une partie de l'argent de ta bourse.

J'ai acquiescé.

Je me suis rendue en taxi à l'aéroport, escortée par ma famille au grand complet, en tenue de cérémonie. Je prenais l'avion pour la deuxième fois de ma vie, à destination de Dakar cette fois. Car, pendant l'été, des troubles avaient éclaté en Côte-d'Ivoire, et ma bourse pour l'université d'Abidjan avait été échangée contre une bourse pour Dakar. J'étais horriblement déçue mais décidée à tout faire pour réparer cette erreur...

Dans l'avion, je suis restée silencieuse. Il survolait l'Afrique, traversait le continent, me menant loin des miens. Au fur et à mesure que je sentais s'éloigner Djibouti-ville, j'avais l'impression que mon cœur se remettait à battre comme si j'avais retenu longtemps, des années, ma respiration.

L'arrivée à Dakar s'est mal passée. Me voyant un peu perdue, trop visiblement étrangère, le chauffeur de taxi m'a arnaquée. La course jusqu'à la petite maison d'une cousine de ma mère dont j'avais l'adresse, dans son véhicule agonisant qui n'avait probablement plus même le souvenir de ce qu'étaient des amortisseurs, a duré un temps fou et m'a coûté la moitié de l'argent que m'avait donné ma mère. Quand il m'a déposée chez ma cousine, en plein quartier Yof, j'ai réalisé que je me trouvais à cinq minutes de l'aéroport. J'en aurais pleuré.

Kadra avait épousé un Sénégalais, ce qui lui valait d'être rejetée par sa famille qui n'approuvait pas son choix. Elle était donc ravie de m'accueillir et d'avoir des nouvelles du pays. Elle avait proposé de m'héberger jusqu'à ce que ma bourse prenne effet et qu'on m'attribue un logement. Quand elle a ouvert sa porte, je suis tombée dans ses bras en retenant mes larmes, consternée de m'être fait avoir, rassurée de me retrouver un instant encore en territoire connu. Elle m'a fait entrer en claquant ses lèvres, a appelé mes petites cousines pour qu'elles viennent me saluer, m'a servi un thé. C'était un morceau de Djibouti. Aujourd'hui, ses filles vivent à Paris et je m'occupe un peu d'elles, je suis prête à les aider si elles en ont besoin, avec un très grand plaisir en souvenir de la chaleureuse attention qu'eut pour moi leur mère. La famille somalienne, tentaculaire, vous rattrape où que ce soit, au bord du précipice comme dans l'aisance, à New York ou à Tombouctou, pour vous rappeler à vos devoirs.

Le lendemain, j'ai pris les choses en main. Je n'étais pas venue jusqu'ici au prix de tant de sacrifices pour m'enfermer dans ma famille, dans ma communauté, pour me rouler en boule dans un dangereux cocon familier. Kadra m'a emmenée en voiture jusqu'au siège de la CONFEJESS. Nous étions jeudi matin, mais ce n'était pas chômé, le Sénégal n'étant pas un pays musulman. La ville m'a paru magnifique, je n'en ai vu d'abord que la prestigieuse façade. Nous avons emprunté la route de la corniche, en bord de mer. Les plages étaient bien mises en valeur, la mer était plus belle qu'à Djibouti, les vagues énormes éclataient, faisant détaler des enfants. Des gens couraient au bord de la plage, faisaient du sport. Il n'y avait pas un bidonville, les villas qui faisaient face à l'océan étaient vastes et fleuries. Nous avons ensuite longé le marché Soumbedioune, une belle construction où les pêcheurs venaient vendre leur poisson, dans ce qui me parut être un festival de couleurs et de gaieté. Plus tard, lorsque j'ai habité ce quartier, j'en ai découvert l'autre aspect, nettement moins clinquant.

Puis nous sommes arrivées sur la place de la République, en plein quartier des affaires. Dakar est une grande ville, moderne et assez européenne dans son centre. J'étais très impressionnée.

L'un des directeurs de la CONFEJESS, un Canadien, m'a reçue. Il m'a donné mes papiers d'inscription à l'université, le premier trimestre de bourse, en liquide, d'un seul coup (cela faisait la coquette somme de 650 francs français mensuels, j'ai calculé que je pourrais sans doute en envoyer la moitié à ma mère et m'en tirer encore à peu près, à condition de ne plus mettre les pieds dans un taxi). Il m'a dit que pour le logement, je devrais me débrouiller seule. Avant de quitter son bureau, je l'ai informé que je préférerais toutefois faire mes études en Côte-d'Ivoire – heureusement, ça l'a fait rire –, puis j'ai repris ma valise et je suis allée retrouver Kadra qui m'attendait en bas.

Elle m'a accompagnée à Fanoc, le quartier qui faisait face au marché au poisson Soumbedioune. Elle y connaissait quelques étudiants djiboutiens qui partageaient la location d'une petite maison. Fanoc était un quartier très populaire, situé à quelques pas de l'ENSEP et du stade Iba-Mar-Diop où je ferais mes études. Mon nouveau logement était une petite maison étroite. Le rez-de-chaussée était habité par trois garçons de Djibouti, le premier étage par des étudiants d'autres pays africains. Au troisième vivait la logeuse, une grosse femme gaie et volubile. Le second, composé d'une seule grande pièce, était loué à des filles.

À l'idée de vivre près de garçons djiboutiens, qui allaient immanquablement se découvrir une vocation de chaperon si ce n'est de maton, je sentais mes épaules s'alourdir. Je poussai la porte de mon nouveau royaume, et rencontrai dans la grande pièce assez encombrée mes deux colocataires.

Saada était originaire de Somalie, elle étudiait pour être professeur d'anglais. Noa, qui venait du Yémen, voulait devenir professeur d'histoire-géographie. Elles étaient déjà pour la deuxième année consécutive à Dakar. La grande chambre était pleine d'effets féminins, les lits étaient repoussés contre les murs pour servir de canapé pendant la journée. Kadra me présenta, et leur demanda si elles acceptaient provisoirement de partager leur chambre avec moi. Il ne s'agissait, dans notre esprit, que d'une solution de dépannage. La pièce n'était pas assez spacieuse pour loger confortablement trois personnes, je devrais rapidement trouver autre chose. Noa et Saada, qui paraissaient très bien s'entendre, ont accepté et Kadra m'a dit au revoir, nous laissant toutes les trois face à face. Nous nous dévisagions comme des créatures étranges. Elles étaient jolies, féminines, elles étaient maquillées, leurs yeux étaient cernés de khôl, la chambre sentait le parfum, il y avait une grande glace et des vêtements partout. Mais je devais vite découvrir que cela n'était destiné à personne d'autre que leurs futurs époux. Elles ne sortaient jamais, c'étaient des filles sérieuses. D'emblée, nous nous sommes considérées avec méfiance. Elles étaient interloquées par mon allure et la liberté de ton dont je faisais preuve. Moi, j'étais abasourdie devant leur paresse. Elles avaient la chance de pouvoir passer plusieurs années dans un pays étranger, et elles allaient se débrouiller pour ne pas rencontrer une seule personne hors de leur communauté d'origine. Elles vivaient à la djiboutienne, ignoraient les Sénégalais, et se conduisaient exactement comme elles l'auraient fait si le regard de leurs parents avait pesé sur elles tout le jour. Même la délicieuse nourriture sénégalaise ne trouvait pas grâce à leurs yeux. Avec consternation, je me rendis également compte que, dans notre petite résidence étudiante, personne ne parlait à personne. Les Djiboutiens restaient entre eux (d'un côté les garçons, de l'autre les filles) et évitaient les autres étudiants africains, qui ne semblaient d'ailleurs pas rechercher non plus leur compagnie. Je ne voulais pas de ça.

La semaine suivante, j'ai commencé les cours. J'étais impatiente de me confronter à la « vraie » vie. Pour le moment, je n'avais pas rencontré les garçons du deuxième étage et je m'en portais fort bien. Mes relations avec mes colocataires étant un peu tendues, je décidai de ne revenir que le moins possible à la petite maison. Et quand j'y étais, je restais souvent au troisième, chez notre logeuse, dont la bonne humeur et la gentillesse me réchauffaient le cœur. Lorsque je rentrais chez moi, c'était uniquement pour dormir. J'avais payé un mois de loyer à mes colocataires, et m'étais offert un matelas que je roulais dans un coin pendant la journée. Il me restait trop peu d'argent pour me permettre de nombreux allers et retours dans la journée. Je partais le matin et ne réintégrais ma chambre que lorsque j'avais épuisé toutes les possibilités de Dakar.

Fanoc était pauvre mais grouillant de vie. Nous étions à l'embouchure du fleuve, et le va-et-vient des pirogues de pêcheurs était continuel. Les étudiants étaient nombreux à profiter des possibilités de ce quartier très peu cher. Le soir, je voyais ce qui m'avait échappé lors de ma première traversée de Dakar, de pauvres gens sans foyer étendre leurs nattes à même le sol, dans les rues, et passer ainsi la nuit. Le principal inconvénient de ce quartier était les moustiques, qui pullulaient littéralement.

La première année universitaire était considérée comme une année de préparation. Chaque étudiant était chapeauté par un élève arrivé en fin de cycle. Nous n'étions que deux filles, et seulement deux étudiants étrangers. L'autre était un Marocain, un ancien sportif comme moi. Mon tuteur, Philippe, était un garçon timide et gentil. Il me fit visiter le campus, me parla du déroulement des études. Lorsque je l'interrogeai sur sa maîtrise, il m'avoua que son plus grand rêve aurait été d'avoir Claude Leroy comme directeur de mémoire. À l'époque, je ne connaissais rien en foot, et le fait que Claude Leroy soit l'entraîneur de l'équipe de Strasbourg ne suffisait pas à me le rendre intimidant. Philippe savait que Claude Leroy était à Dakar, pour préparer l'équipe nationale à la Coupe d'Afrique qui aurait lieu l'année suivante. Je l'ai convaincu d'aller à Bienvenue, l'énorme et magnifique stade qui avait été construit en vue de la compétition, pour essayer d'assister aux entraînements de l'équipe. Une fois dans les arènes, je l'ai harcelé jusqu'à ce qu'il accepte d'aller parler à Claude Leroy. Ce dernier nous a reçus avec une grande gentillesse, allant jusqu'à nous inviter à suivre l'équipe pendant une semaine, avec le staff, pour étudier les techniques d'entraînement. Nous sommes partis pour Thies, le centre de préparation de l'équipe. Philippe n'en revenait pas de sa chance. Quant à moi, j'y rencontrai le capitaine de l'équipe ivoirienne, qui avait fait ses études à l'INJS d'Abidjan, l'université où j'étais bien décidée à poursuivre les miennes. Nous fîmes le pari que je réussirais, et il me laissa ses coordonnées à Abidjan, convaincu de ne jamais me revoir. Il se trompait.

Philippe ne se remit pas de son exaltation. Il avait rencontré ses héros, et je pense avoir été l'étudiante la plus gâtée par son tuteur de toute l'histoire de l'ENSEP.

Quelque temps après mon arrivée, j'ai vu débarquer un homme avec qui j'avais commencé une jolie histoire à Djibouti. Il m'avait abordée dans la rue, franchement, en riant, alors que je rentrais du lycée. Il était blanc, portait l'uniforme des officiers de marine, et j'avais dû me cacher pour le fréquenter de peur que des policiers ne me prennent pour une prostituée et ne me pourchassent à coups de bâton. Philippe était le plus bel homme que j'avais jamais rencontré, il était léger et gai, mais mystérieux; je savais que notre histoire ne déboucherait jamais sur rien de sérieux, mais nous nous étions tout de suite bien entendus. Nous avions passé quelques mois ensemble, sans rien attendre l'un de l'autre, savourant juste une complicité teintée de séduction. Je n'avais pas pu lui dire au revoir en quittant Djibouti, il était en mer les jours précédant mon départ, et je pensais ne plus jamais entendre parler de lui quand je l'ai trouvé qui m'attendait, confortablement installé dans la cuisine de la logeuse qui le contemplait amoureusement. Je n'ai jamais su comment il s'était procuré mon adresse. Devant mon air ébahi, il a éclaté de rire et m'a proposé de m'emmener en balade. Quand je suis montée dans sa voiture, j'ai senti les regards de mes colocataires me vriller la nuque à travers les persiennes closes et j'ai compris que les choses n'allaient pas s'arranger de sitôt entre nous...

Les semaines que nous avons passées ensemble ont été formidables. Il semblait connaître tout le monde à Dakar, nous sortions sans arrêt, je rencontrais beaucoup de gens, à qui je devais souvent montrer, pour qu'ils me prennent au sérieux, que je n'étais pas une pauvre jeune fille illettrée qu'on impressionne à peu de frais comme en fournissaient à foison tous les bars du centre ville. Mais ce combat pour prouver que j'étais une personne valable, je le menais avec plaisir car il était moins pénible que l'hypocrisie dans laquelle j'avais été condamnée à grandir. Heureusement, car il ne devait pas s'arrêter là, et aujourd'hui encore, je dois démontrer à nouveau, sans cesse, que je ne dois qu'à moi, à mon travail et à ma pugnacité, tout ce qui m'arrive, mes chances comme mes malheurs.

J'étais fascinée par la liberté qui régnait dans la capitale. Les corps mêmes des hommes et des femmes étaient plus souples, plus à l'aise, plus impudiques. Je rencontrais aussi des Sénégalais musulmans, mais qui ne vivaient pas leur religion dans la violence et l'absolutisme que j'avais connus à Djibouti. J'essayais de ne pas me laisser griser complètement. Un jour, je devrais renoncer à tout cela.

Avec Philippe et ses amis, j'ai aussi découvert ce pays merveilleux : Saint-Louis au nord, les plages de Cap Skirring, Ziguinchor et l'exubérante Casamance dans laquelle j'ai fait pour la première fois du « tourisme à la blanche », l'intérieur des terres plus desséché. Nous avons aussi pris le train pour le Mali, un train d'une lenteur effarante, qui a mis deux jours à parcourir cinq cents kilomètres, nous laissant tout le loisir de contempler le paysage, dans la chaleur de four des vieux compartiments cédés par la France et décorés de photographies du mont Blanc en noir et blanc.

Puis un beau matin, Philippe est parti pour le Tchad et je ne l'ai plus jamais revu. Mais je garde un souvenir reconnaissant pour ce qu'il a fait en m'introduisant ainsi dans la société dakaroise, en m'entraînant dans son sillon et en me présentant ses amis, qui sont devenus les miens.

Ma mère téléphonait, tous les deux mois environ ou en cas de problème. Il n'y avait qu'un téléphone et lorsque la logeuse décrochait, elle entendait seulement une voix éraillée hurler : « La maman de Safia appelle », puis ça raccrochait. Elle montait alors me chercher et je savais que je devais rappeler. J'étais heureuse, bien sûr, d'avoir des nouvelles de chez moi, et pourtant ma mère qui criait, la violence et la tension dans sa voix, la brutalité de nos rapports, tout cela était une incursion de l'agressivité djiboutienne dans la langueur sénégalaise, qui me rappelait, salutairement peut-être, d'où je venais et où je devrais un jour retourner. Je raccrochais toujours le téléphone déchirée entre mon affection pour les miens et la tristesse de ne pouvoir l'exprimer autrement qu'en envoyant un peu plus d'argent le mois suivant.

C'est un jour comme celui-là que je me suis rapprochée de mes colocataires. J'étais tellement abattue que lorsque j'ai croisé leurs regards noirs et méprisants, je me suis mise à pleurer. Elles sont restées interloquées. Je pense qu'elles m'avaient prise pour plus dure à cuire que je ne l'étais. Saada m'a demandé si j'avais un problème à la maison, j'ai seulement pu secouer la tête. Après une courte hésitation, dans un mouvement de tendresse impulsive, elle est venue vers moi et m'a serrée dans ses bras. Quand j'ai été calmée, nous avons eu une grande explication. J'ai dû leur prouver que j'étais toujours cousue, comme préalable à toute discussion. Je savais que je ne pourrais qu'à cette condition les persuader que je n'étais pas une traînée. Je ne pense pas avoir réussi à les convaincre du bien-fondé de ma propre vision du monde et de mon idée de ce que devrait être la place de la femme dans la société (idée sur laquelle je n'étais pas encore très au point moi-même), mais cela m'a fait du bien de pouvoir enfin me défendre. Oui, je croyais que je pouvais rencontrer des hommes, avoir des histoires avec eux, et être pourtant toujours respectable. Oui, je croyais que je pouvais parler à un homme, lui répondre, participer à une discussion sans baisser la voix ni les yeux, et être pourtant toujours une femme. Oui, je croyais aussi que je pouvais m'amuser, sortir, danser, et mériter pourtant que l'on me parle comme à un être humain. Moi aussi, comme elles, j'avais une famille qui comptait sur moi, j'étais une fille sérieuse et travailleuse, j'avais toujours dû me battre pour obtenir ce que je voulais, et je croyais vraiment valoir autant qu'elles.

Ce discours, que je sortais du plus profond de moi pour la première fois de ma vie, m'a libérée. Et de ce jour nous avons pu nous rapprocher. Nous avons commencé à sortir un peu ensemble, je leur ai présenté mes amis, je leur ai fait découvrir des lieux où elles n'auraient jamais mis les pieds sans moi. Elles, en contrepartie, m'ont appris à être plus féminine. Elles m'ont enseigné à m'habiller, me maquiller, me tenir comme une jeune femme et non comme un garçon. Les premières soirées que nous avons passées ensemble, elles étaient terrifiées à l'idée de finir en enfer. Quant à moi, je me sentais grotesque et déguisée. Mais en observant les femmes sénégalaises, qui sont belles et altières, qui savent se montrer féminines et séduisantes sans pour autant s'effacer devant les hommes, j'ai compris que j'avais le droit, moi aussi, de vivre pleinement ma féminité, sans plus avoir à me restreindre pour ne pas effrayer mes parents. Je me souvenais aussi d'un modèle véhiculé chez moi par la télévision. Les sitcoms égyptiennes par exemple étaient riches d'enseignement. On y voyait de riches et belles femmes aux cheveux blonds coiffés en impeccable brushing, diriger d'une main de fer de grandes compagnies commerciales, avoir des réussites amoureuses et des succès sentimentaux, et rester de pieuses musulmanes. C'était un modèle féminin inédit, qui disparaît aujourd'hui peu à peu de la télévision arabe, mais qui était porteur d'espoir.

Noa, Saada et moi avons fini par nous rapprocher vraiment. Nous sortions beaucoup, et dépensions trop d'argent, même pour elles qui venaient de familles aisées. Un jour, alors que nous étions à court bien avant la fin du mois, nous avons accepté de défiler pour un coiffeur, dans une boîte de nuit. Au dernier moment, Noa s'est désistée et est partie se cacher dans la foule du public. Il ne restait que Saada, qui a finalement défilé en sanglotant, et moi qui ai tenté tant bien que mal de donner le change, paralysée de honte et de timidité. Notre prestation était lamentable, nous étions terrifiées à l'idée du coup que nous portions à notre réputation. Nous avons empoché l'argent et avons prié le ciel que nos parents n'apprennent jamais ce qu'avaient fait leurs filles.

Pendant que je me débattais avec mes problèmes d'identité, des troubles violents agitaient la société civile djiboutienne, dont je n'avais que d'épisodiques nouvelles. De Dakar, je suivais aussi la situation politique des autres pays africains, de plus ou moins loin. Au cours de l'année scolaire, j'ai rencontré chez des amis un jeune Libérien socialiste qui avait fui la guerre civile, et qui n'avait plus rien. Il vivait de la charité de quelques étudiants de sa connaissance, et était sans nouvelles de sa famille depuis des mois. Il était sur le point de sombrer dans l'errance. J'ai convaincu mes nouvelles amies de l'héberger, c'était tout ce que nous pouvions pour lui. Pendant deux mois, nous avons ainsi vécu à quatre dans la même pièce, au centre de laquelle nous avions tendu un rideau. Nous faisions le moins de bruit possible pour ne pas nous faire remarquer par nos « cousins » du rez-de-chaussée, qui nous considéraient déjà comme des filles perdues. C'est lui qui m'a initiée au socialisme, au cours d'interminables discussions que nous tenions en chuchotant. À travers son exemple, je comprenais aussi qu'il est presque impossible de s'intéresser au monde extérieur, et aux idées, quand tout notre être est tendu par des questions de survie au quotidien, quand chaque jour on doit courir derrière un logement, derrière la sécurité, derrière la nourriture. Je crois à l'aide.

Aujourd'hui, il est professeur d'histoire dans une grande université américaine.

Cette année-là, j'ai aussi revu Nicole, dont le mari venait d'être muté à Dakar. J'avais toujours une chambre chez elle. Aujourd'hui, elle est retraitée et elle habite Tours.

Tous les mois, je me rendais, ma valise toute prête, dans le bureau du directeur canadien de la CONFEJESS. Je m'asseyais dans la salle d'attente, j'attendais qu'il paraisse et je lui disais :

— Moi, je me suis battue pour une raison bien particulière : je voulais aller en Côte-d'Ivoire. Je ne suis pas une petite fille gâtée, mais Abidjan m'attend. Il faut m'y envoyer, croyez-moi, de grandes choses se préparent là-bas pour moi.

Quand il était de mauvaise humeur, il me claquait simplement la porte au nez et je repartais, mon sac sous le bras. Le plus souvent, il éclatait de rire. Au bout de treize mois, il a craqué.

Pour moi, le Sénégal, ce fut une année de fêtes, de rencontres, de bonheur. Mais, surtout, ce fut l'apprentissage de la liberté.

3

Abidjan

Le 18 octobre 1991, j'ai posé ma petite valise sur le dessus-de-lit en peluche verte. C'était le lendemain de mon anniversaire, et le plus beau jour de ma vie. La fenêtre grande ouverte laissait entrer le bruit des conversations des étudiants qui se promenaient sous les arcades, se croisaient dans les escaliers en s'interpellant gaiement. J'étais chez moi.

L'internat de l'INJS se situe en plein cœur de Marcoury, un quartier populaire d'Abidjan. Les installations sportives étaient également rassemblées là. Les logements étudiants, un grand bâtiment rose en forme de U, étaient situés dans un immense parc au bord de la lagune. Une aile était réservée aux filles, les deux autres aux garçons, bien plus nombreux à poursuivre des études supérieures. L'université elle-même était au centre-ville, sur le Plateau.

À l'internat, il y avait des étudiants venus de toute l'Afrique, contrairement à Dakar. Il y avait même un comité d'accueil des étudiants étrangers, qui contribuait à rendre notre arrivée chaleureuse et rassurante. Je nageais dans une véritable sensation de bien-être qui m'assurait que c'était bien comme cela que devait être ma vie. Notre langue commune était le français, car nous venions tous d'anciennes colonies. Mais chacun parlait avec les particularités de son pays d'origine. Les Nigériens avaient un accent piquant, les étudiants originaires du Rwanda avaient une langue fleurie, un peu ancienne, poétique et chantante. Au Sénégal, le français était très recherché, parfois même maniéré, chacun choisissant ses mots avec précaution, tandis que le français de Côte-d'Ivoire était plus brusque, volontairement incorrect, plein de fautes et de fantaisie, par une curieuse forme de résistance à l'occupation. À mes yeux, c'était le plus beau des français. Il était drôle, il était vivant, à l'image du pays.

J'ai développé mon panafricanisme au contact de tous ces jeunes gens venus des quatre coins du continent. Je me replaçais soudain à l'échelle d'un continent, l'histoire de mon pays s'inscrivait dans celle de l'Afrique, et j'ai commencé à m'intéresser aux différentes formes de colonisation, et aux séquelles si nombreuses qu'elle avait laissées selon sa durée ou ses modalités. Je me suis considérablement enrichie durant cette année sénégalaise et les suivantes, ivoiriennes. Aujourd'hui, j'ai accepté avec un très grand plaisir la présidence de la commission Europe internationale et coopération décentralisée, à la région. Nous essayons de promouvoir des projets destinés à rapprocher les peuples. De la même façon, je suis convaincue du rôle crucial que peut jouer Erasmus pour la construction de l'Europe. Je suis fermement convaincue de la richesse qu'apporte cette ouverture sur l'autre, sur le monde, sur l'étranger.

L'université était assez politisée, il y avait souvent des troubles, des manifestations de mécontentement. Le multipartisme avait été décrété il y a moins d'un an et quelques mois après mon arrivée, en février 1992, d'énormes manifestations estudiantines ont agité la ville. Laurent Gbabgo a été arrêté et a passé quelques mois en prison. Nous, les étudiants étrangers, nous étions assez protégés de ces violences, et nous participions surtout à travers les discussions animées que nous tenions à longueur de nuit sur la situation politique du pays, en plein campus. Il y avait une atmosphère très électrique, en ville comme à l'internat. Nous débattions sans trêve, nous abreuvant des discours des hommes de l'opposition. Je parlais à mes camarades du discours formidable qu'avait fait Abdoulaye Diouf à l'université de Dakar, sur l'Afrique et ses libertés à inventer. Nos idoles étaient Thomas Sankara, le président du Burkina, et Lumumba, le président du Zaïre assassiné par Mobutu dans l'indifférence internationale générale. Je me montrais aussi agressive que les hommes, durant ces réunions, tandis que les Sénégalaises développaient une vision et une dialectique politique de la non-violence dont j'avais beaucoup à apprendre. Le panafricanisme de Nkrumah, président du Ghana, était aussi au centre de toutes nos discussions. Au cours de la deuxième année que je passai à Abidjan, cette ambiance politique électrique alla encore en s'accentuant.

Les sujets de mécontentement proprement étudiants étaient également nombreux : les bourses dont le montant diminuait n'étaient pas pour autant distribuées plus largement, contrairement à ce qu'avait promis le gouvernement. Les logements étudiants n'étaient pas non plus suffisants ; nous étions trop nombreux, entassés, et tous ne trouvaient pas à se loger convenablement. Mais dans l'ensemble, la vie sur le campus était gaie, féconde, agitée.

Le premier jour de classe, je commence par le cours d'histoire du sport et de l'athlétisme. Le professeur me demande de me présenter car je suis la seule nouvelle de cette deuxième année. Je suis brève.

— Je m'appelle Safia Ibrahim, je viens de Djibouti. J'ai vingt et un ans et je suis célibataire.

Le professeur me demande, sans lever les yeux du petit carnet où il inscrivait ces renseignements :

— Avec ou sans ?

Je n'ai pas imaginé un instant le sens de sa question et il en a déduit ma réponse. Plus tard, j'ai compris qu'il me demandait si j'avais des enfants. La chose était si parfaitement impensable chez moi que je n'aurais jamais pu deviner ce qu'il voulait dire si une amie ne m'avait pas éclairée. Avoir un enfant hors mariage, à Djibouti, vous ravalait à un rang pas plus enviable que celui de prostituée. Ici, c'était fréquent et tout à fait admis. C'est bien ce que j'avais pressenti tout de suite et tant aimé, cette liberté de la femme ivoirienne, qui m'avait attirée en Côte-d'Ivoire.

Le dimanche, on se retrouvait entre filles pour laver notre linge, comme autrefois les vendredis à Djibouti. Ma colocataire Monique et ses amies faisaient preuve d'une telle liberté de langage et de comportement que, de peur de passer pour prude, je mentais continuellement et prétendais à des expériences qui m'étaient totalement inconnues. Je m'inventais une vie pour ne pas leur paraître trop différente.

Un soir, je sortis en boîte avec mon amie Toufat et quelques Ivoiriennes. Les nuits abidjanaises sont extrêmement animées, et même pour des jeunes femmes démunies comme nous l'étions, le plaisir était à portée de main car on nous laissait entrer partout sans jamais nous faire payer quoi que ce soit. Ce soir-là, dans un club à la mode du centre-ville, je m'ennuyais pourtant quand je remarquai un jeune homme qui dansait admirablement. Nous avons fait connaissance et c'est ainsi que j'ai rencontré Didier Bilé, qui était en train d'inventer le zouglou. Cette musique, recherche presque politique d'un espéranto qui unirait la jeunesse de ce pays ethniquement morcelé, dans lequel coexistent plus de soixante langues vivantes, allait connaître un succès retentissant en Côte-d'Ivoire. Née dans les rangs des supporteurs des athlètes universitaires, alliant le riche héritage musical ivoirien et la véritable invention d'un langage corporel, le zouglou est l'un des phénomènes les plus marquants des années 90.

Didier venait de faire son premier tube, *Étudiant.* Nous avons sympathisé ce soir-là, et j'ai pu assister de près à l'émergence de ce mouvement musical porteur de tant d'espoir. Par la suite, j'étais présente à tous ses concerts, où Didier et ses musiciens étaient toujours accueillis par des foules en délire.

Cette nuit-là, il provoquait de vraies émeutes lorsque les gens le reconnaissaient. Il comprit vite qu'il n'avait aucune chance de pouvoir rentrer chez lui sans encombre, et je proposai de l'héberger, ma colocataire étant partie pour le week-end. Le lendemain matin, pendant que je prenais ma douche, un étudiant djiboutien entra dans ma chambre et y trouva Didier. Lorsque je revins de la salle de bains, je trouvai Didier mal réveillé, assailli par tout le clan des étudiants djiboutiens vociférant. Convaincu que j'avais fauté, le premier, qui se prétendait mon cousin, avait entrepris de raconter à Didier que j'étais promise au pays, que j'étais intouchable, et que, d'ailleurs, j'étais cousue.

L'infibulation est une pratique qui n'a pas cours en Côte-d'Ivoire. Didier était horrifié par tous les détails qu'il apprenait, mais pas autant que moi à qui l'on rappelait soudain, violemment, sa place dans la société. Hors de la Corne de l'Afrique, où elle est si évidente que c'est la femme qui ne l'a pas subie qui se vit comme anormale, l'infibulation était la marque honteuse de ma sous-condition humaine. Chaque fois que je croyais pouvoir l'oublier, m'en échapper, on me la ramenait au visage, m'humiliant si profondément que je me sentais marquée au fer rouge par ces évocations publiques de mon intimité, de ma disgrâce. J'avais tellement peiné pour préserver mon secret, maintenant connu de tous.

J'ai chassé ces garçons de ma chambre avec fureur. Didier ne m'a pas posé de questions, il m'a un peu consolée, cela ne changeait rien à ses yeux. Mais aux miens, c'était mon infamie qui ne cessait de me poursuivre.

Cet étudiant djiboutien, cousin puisque je semblais devoir l'être avec tous, est aujourd'hui prédicateur intégriste à la télévision.

Quant à Didier, nous nous voyons toujours, et il vient régulièrement me rendre visite en France, quand il y donne des concerts.

Les mois passaient, je m'adaptais sans difficulté à la Côte-d'Ivoire. Je portais des pagnes, je mangeais avec délices la nourriture locale, mon vocabulaire évoluait. Et ces quelques piqûres de rappel de mon Djibouti natal suffisaient pour me faire garder à l'esprit tout ce que j'aurais perdu à y retourner. J'avais besoin, pourtant, de me replonger régulièrement dans mon milieu, peut-être justement pour ne pas baisser la garde complètement. J'avais des cousines de ma mère, évidemment, chez qui j'allais parfois dîner. On m'y donnait des nouvelles de la famille, du quartier 3, de la Somalie également. Ma famille avait des difficultés financières. Je devais avancer pour les aider et les entraîner tous, puisque j'avais eu tant de chance. Je savais que je devais réussir, je n'avais pas le choix.

Treïchville est un quartier très populaire, conçu pour désengorger la ville, dans lequel de nombreuses infrastructures ont été construites. S'y côtoient des masures assez misérables et des bâtiments modernes, des bars à la mode et des bureaux flambant neufs. Un soir de match, nous étions de sortie dans cette zone très animée lorsque j'ai été agressée par un loubard. En un instant, il m'a assaillie, m'a frappée et arraché le collier en or que m'avait offert ma mère. J'étais en état de choc. Ludovic, un professeur ivoirien qui fréquentait notre bande depuis peu, m'a raccompagnée jusqu'au foyer. Il est resté avec moi jusqu'au matin tant je craignais de rester seule. C'est avec lui que j'ai eu ma première vraie, et grande, histoire d'amour. Passons vite sur les détails qui me rendirent cet hiver si doux et heureux. Au fil des mois pourtant, malgré sa patience et son amour, notre relation dégénéra. Mon infibulation nous interdisait tout rapport sexuel, peu d'hommes sont prêts à accepter cela quand ce n'est pas leur culture. Nous avons fini par nous séparer. En plus de la douleur amoureuse, normale si on peut dire, j'ai souffert violemment de cette condamnation sans appel de ma condition. Ma mutilation n'était pas acceptable pour les hommes que j'aimais. Cette idée m'anéantissait.

Je me suis lancée dans les révisions pour mes examens. J'avais passé une année trop agitée pour avoir beaucoup travaillé, et j'avais pas mal de matières à rattraper, en particulier la biomécanique. Je me suis enfermée quelques semaines, et j'ai passé mes examens avec succès.

C'est pour m'aider à surmonter ce qu'elle prenait pour un banal chagrin d'amour et un peu de surmenage que ma colocataire Monique m'a entraînée un soir à *Basse String*, un club de zouk à la mode. Là-bas, un basketteur nigérian m'invita à danser, mais alors que j'étais avec lui sur la piste de danse, une fille vint me tirer par la main et m'entraîna vers un box où elle me présenta quatre garçons. J'étais agacée par son autoritarisme et par l'arrogance affichée de ces garçons. Et puis j'attendais pour bientôt mon billet d'avion pour Djibouti, j'étais distraite, je n'avais pas la tête à faire des mondanités. C'est cette réserve, bien involontaire, qui a eu raison de Didier Otokoré.

Nous étions en 1992, la Côte-d'Ivoire venait de remporter la coupe d'Afrique et le président Houphouët-Boigny avait décrété deux jours de congé national pour permettre au pays tout entier de célébrer l'événement. C'était une fête qui n'en finissait plus, jour et nuit la musique résonnait, les gens dansaient. Les joueurs de l'équipe étaient considérés comme des demi-dieux, des idoles, ils étaient crânes, ivres de leur succès. Et voilà que je ne les reconnaissais même pas. Je leur tournai le dos et retournai sur la piste.

Le lendemain, alors quc jc m'apprêtais à me rendre chez des amis qui ne me faisaient pas payer le téléphone pour appeler ma mère, la fille de la veille est venue me dire que Didier voulait me revoir. Je n'avais pas la tête à ça, et j'imaginais ma mère en train de m'attendre dans un centre téléphonique. J'étais déjà en retard, je n'avais pas assez d'argent pour m'offrir un taxi, et le bus allait prendre trop longtemps. Ma mère serait déjà repartie quand j'arriverais chez mes amis. Cela faisait déjà deux ans que je n'avais pas revu ma famille. Pour me convaincre de la suivre, mon amie me dit que Didier avait une voiture, qu'il m'accompagnerait chez mes amis. Je finis par me rendre et la suivre. Arrivées à l'hôtel où Didier était censé m'attendre, nous y avons trouvé des journalistes par centaines, mais pas de Didier. Mon amie partit dans les couloirs à sa recherche, tandis que j'attendais dans le hall, toute seule, regardant les minutes défiler et perdant espoir d'arriver à temps. Quand il est enfin descendu, j'étais tellement tendue que nous n'avons pas échangé trois mots. Nous sommes montés tous les trois dans sa voiture et il a filé à travers la ville. Nous sommes arrivés trop tard, évidemment. Le téléphone a longtemps sonné dans le vide, ma mère était repartie.

Me voyant si désolée, Didier tenta de me consoler. C'était un homme timide, à qui la célébrité ne montait pas à la tête autant qu'aux autres joueurs. J'ai pu voir, rapidement, qu'il était sérieux et sensible. Nous avons commencé alors à nous voir régulièrement, nous avons fait connaissance, et avons peu à peu rattrapé notre mauvais départ. Quand il m'a invitée à dîner pour un soir prochain, j'ai dit oui.

Ce soir-là, il m'a présenté sa mère. Je ne m'attendais pas du tout à dîner avec elle, j'ai été touchée de cette drôle d'idée. La soirée a été très gaie, et s'est terminée tard. Il m'a retenue à dormir, sa mère a préparé une chambre pour nous deux – je n'ai jamais cessé de m'étonner de cette fabuleuse Côte-d'Ivoire. Lorsqu'il s'est déshabillé, je me suis mise à pleurer. C'était la première fois que je voyais un homme nu, malgré la liberté que j'affichais. Et je n'avais pas eu le temps d'inventer des mensonges pour lui cacher mon excision. En larmes, je lui ai tout avoué. Il a été formidable.

En sa compagnie, pour la première fois, j'ai vécu avec un homme sans tabou. On a passé quelques jours extraordinaires ensemble. Puis il a dû repartir pour la France. Sur le chemin de l'aéroport, il m'a déposé une lettre, dans laquelle il m'avouait qu'il avait quelqu'un, en France. Il était sur le point de se marier, tout était impossible entre nous.

J'avais le cœur brisé pour la deuxième fois et j'ai pensé que je ne m'en relèverais pas.

4

Dernier été à Djibouti

L'été 1992, je suis retournée dans la fournaise djiboutienne. J'avais l'impression de m'être fracassée contre une paroi. Longtemps portée par mes espoirs, par ce que je pensais être ma force de caractère – je me croyais incassable, j'étais toujours allée de l'avant, j'accomplissais les choses les plus folles, tout irait bien pour moi – j'aboutissais dans un mur de déception. Je n'avais plus de ressources, cette fois, pour me relever. L'amour n'avait pas voulu de moi. J'aurais bientôt mon diplôme en poche, mais une femme peut-elle vivre sans époux, de son seul travail ? Pas chez moi. Pas dans ma tête à cette époque en tout cas. J'étais encore trop pleinement façonnée par la tradition. Ma libération n'avait été que superficielle. J'osais sortir, j'osais parler d'égal à égal avec un homme, mais je ne pensais pas envisageable un instant de vivre seule, de ne pas me marier, de concevoir ma vie comme un choix qui n'engagerait que moi.

Pourtant, j'étais allée trop loin sur le chemin de l'émancipation pour me réinsérer sans dégâts sous l'étroit, le sévère et intolérable contrôle exercé sans partage par l'ensemble de la société sur ses femmes et ses filles. L'épouvante de la condition féminine me sautait au visage plus violemment que jamais. Et la pauvreté de mon quartier aussi. J'avais connu l'ivresse de la liberté, et je ne parvenais pas à l'oublier. Ici, à nouveau, je devais rendre des comptes, répondre à tous les hommes qui avaient le droit, en tant qu'hommes simplement, de me demander des comptes. Je tentais de donner le change, mais je me sentais étouffée, je ne retrouvais pas mes marques. Mes amis me semblaient changés, quand c'est moi qui revenais différente. Les filles s'étaient mariées, beaucoup avaient déjà des enfants, les garçons ne me considéraient plus comme leur sympathique camarade de classe, mais comme une chose à convoiter, à prendre, ils me soupesaient du regard, je n'étais plus leur amie.

Aboukar, le garçon qui avait été amoureux de moi toute notre adolescence, celui qui m'emmenait passer des week-ends dans les îles du golfe, a appris mon retour et il est venu me relancer. Pendant toute notre entrevue, qui s'est déroulée sans passion d'un côté comme de l'autre, je le considérais et je me disais : « allons, il n'est pas plus mal qu'un autre, celui-là. Ne fais pas ta difficile, tu as de la chance qu'il veuille encore de toi. » Et je tentais de me faire douce ainsi que doivent l'être les femmes. Je baissais les bras, tout doucement. J'étais fatiguée de me battre seule, le mariage m'apparaissait comme inéluctable, l'évidence rassurante qui devait borner ma vie de femme. Je serais incomplète tant que je ne serais pas passée par là. On me disait qu'Aboukar voyait d'autres filles, qu'il sortait sans cesse, mais cela m'était égal. Il était riche, il était là, il ferait vivre ma famille, il était la fin de mes soucis. C'était la pensée vertigineuse qui me tournait dans la tête toute la journée.

Un soir, avec Naïma, une amie du temps de l'école dont le père travaillait en France et qui revenait comme moi pour la première fois depuis des années à Djibouti, nous avons décidé de sortir. Elle était d'une famille aisée, nous étions jeunes et libres, du moins c'est ce qu'on croyait, et nous nous sommes lancées toutes les deux à l'assaut du Plateau, vêtues à l'occidentale. Deux jeunes femmes modernes et sûres de leur bon droit. Dans la rue, en passant d'une boîte à une autre, on discutait en somalien quand on a croisé deux policiers. J'entendis l'un d'eux crier, après notre passage : « Hé ! les putes. » On ne s'est pas retournées, on n'était pas concernées, la scène s'était passée quelque part aux franges de ma conscience. Les policiers nous ont rattrapées, l'un d'eux m'a agrippée par l'épaule et m'a giflée. Dans un réflexe de survie, Naïma a sorti de son sac une petite bombe lacrymogène, l'a vidée sur l'homme, et nous nous sommes enfuies à toute vitesse, en larmes, terrifiées. Nous nous sommes réfugiées dans la première boîte de nuit ouverte. Les deux policiers, après avoir rameuté des collègues, ont encerclé la discothèque, fait arrêter la musique, rallumer les lumières, et nous ont retrouvées. Nous avons refusé obstinément de donner l'adresse de nos parents, de peur qu'ils nous raccompagnent chez nous en pleine nuit, créant un véritable scandale. Ils nous ont donc traînées au poste. Ce même commissariat que je retrouvais des années après y avoir appris que je n'étais soi-disant pas djiboutienne. Ce même commissariat où j'aurais pu faire carrière aux côtés de ces sympathiques collègues.

Ils nous ont insultées et giflées pendant plusieurs heures, avant que Naïma ne craque et ne leur avoue en pleurant le nom de son père, un ancien ministre, une personnalité influente. Moi, je n'étais rien, seulement une pute somalienne. Mais la fille d'un ministre, ça devenait sérieux. Nous les avons regardés paniquer un peu, puis ils ont décidé de la laisser sortir. Folle de rage, j'ai réclamé des excuses, et on m'a ri au nez. Mais je n'ai plus reçu de coups, le nom de Naïma semblait avoir eu des vertus apaisantes.

Naïma prévint ma mère au petit matin, et je la vis débarquer un peu plus tard. Les policiers lui racontèrent qu'ils m'avaient trouvée avec des militaires, que je sentais l'alcool. Moi, têtue, je continuais de réclamer des excuses. Je finis par avoir gain de cause, je reçus de molles excuses du premier policier qui m'avait frappée, et ma mère m'emmena, sans faire de réflexion.

Depuis mon retour d'Abidjan, j'étais installée chez Kaltoum, avec une autre de nos sœurs. Son mari n'était pas à Djibouti, nous partagions la même chambre toutes les trois comme aux jours qui me paraissaient maintenant bénis de notre enfance. Nous rions et plaisantions, passions des nuits sans sommeil à nous raconter des blagues, à parler des hommes, à faire des projets d'avenir. Un soir, pourtant, la discussion a pris un autre cours. Qui l'a lancée, mes sœurs s'étaient-elles concertées, je ne sais pas. Mais l'une d'entre elles s'est lancée la première, et elles ont parlé sans s'arrêter.

— Ici, tu deviendras folle. Tu n'as jamais été faite pour ce pays, et, maintenant, tu es trop changée. Tu vas devenir folle. Nous, nous n'avons pas le choix. Mais toi, ne fais pas ça, tu étais partie, on le croyait pour de bon, ne reviens pas moisir ici.

Je les ai écoutées, mes sœurs chéries, qui étaient coincées là, et n'avaient pas la chance que j'avais eue...

J'ai repris l'avion pour Abidjan, mes fiançailles avec Aboukar rompues. J'emmenais dans mes valises ma petite sœur, ma mère prétendant ne plus avoir les moyens de l'entretenir. Pauline ne fit aucune difficulté à partager notre chambre, et je recommençais l'année la tête bien sur les épaules, responsabilisée par la présence de ma sœur. Nous devions nous en sortir à deux sur une moitié de bourse, ce qui nécessitait une certaine débrouillardise, et il me restait une année pour terminer mon diplôme. La Côte-d'Ivoire était toujours aussi fantastique, mais j'avais l'impression d'avoir perdu ma capacité à être heureuse.

À la fin de l'automne, je travaillais dans ma chambre quand on est venu me chercher pour me dire que j'étais demandée au téléphone. C'était Didier, qui était de retour. Il voulait me voir.

Je n'ai pas parlé de la lettre que j'avais reçue avant l'été, ni lui non plus. Nous nous sommes retrouvés comme si c'était une évidence, nous nous sommes embrassés. Je lui ai caché ma tristesse, je ne lui ai pas avoué que je n'attendais que lui. Nous nous sommes vus et comme l'année passée, tout était simple entre nous. Notre relation avait pour moi le goût de l'évidence. Je jouais un peu la mystérieuse, je continuais à sortir de mon côté pour affirmer mon indépendance et pour qu'il ne pense pas que je lui appartenais tout entière. Il a commencé à parler mariage. Mais il est reparti bientôt. Nous n'avions pas échangé de promesses.

Quelques mois plus tard, j'assistais comme spectatrice aux jeux de handball organisés par Abidjan, quand on m'a présenté un homme qui se disait responsable de l'association Euro Hand. Il se faisait appeler Jean-Pierre. Il semblait renseigné sur ma carrière passée de sportive, et il m'a expliqué qu'il recherchait un ou une correspondante locale. Il voulait savoir si je voulais travailler avec eux. J'étais enchantée de la proposition, très excitée par cette possibilité de gagner un peu d'argent dans un domaine qui m'intéressait, tout en continuant mes études. Jean-Pierre resta très vague sur les tâches qui m'attendaient, mais je n'y vis d'abord rien d'anormal. Les choses se passaient si facilement que je baissais ma garde. À la fin des jeux, il repartit pour la France sans avoir été plus explicite, mais je reçus bientôt une lettre et un peu d'argent. Toujours pas un mot de ma mission de « correspondante locale ». Puis, un beau matin, un envoyé du consulat me fit chercher à l'internat : un visa et un billet d'avion à mon nom pour la France m'attendaient. Des choses pour lesquelles des Africains seraient prêts à tout me tombaient toutes cuites entre les mains. Une courte lettre m'informait qu'une grande compétition de handball devait bientôt être organisée en banlieue parisienne, pour laquelle Jean-Pierre désirait ma présence.

Je voyais bien qu'il y avait quelque chose d'étrange dans cette facilité, un goût dangereux. Mais quand j'en parlai autour de moi, à mes amis étudiants, leur air à la fois envieux et incrédule me convainquit que je ne pouvais pas refuser cette opportunité. C'était grisant, c'était l'aventure. L'occasion que j'attendais depuis des années de m'envoler pour de bon vers une autre vie. Et la voix de mes sœurs résonnait encore en moi, qui me disait : « Ne reviens pas à Djibouti, tu n'es pas faite pour ce pays... » Alors j'ai mis ma petite sœur dans l'avion pour Djibouti, j'ai fait ma valise et dit adieu à mes amis. J'avais le numéro que Didier m'avait donné en partant. D'une voix un peu hésitante, j'ai dit que j'arrivais en France, je lui ai donné le numéro de mon vol, et j'ai raccroché.

Quand je suis montée dans le taxi, visa et billet en main, je me suis dit : « Inch Allah. À moi l'aventure. »

Troisième partie

La France

1

Femme de footballeur

Je suis arrivée en France le jour où Basile Boli a marqué son fameux but de la tête, offrant à l'OM la Coupe d'Europe. C'était le 26 mai 1993.

Mes souvenirs du voyage, de la descente d'avion, des formalités de douane, tout est flou. Je me rappelle pourtant la tenue que je portais, une belle robe blanche achetée pour l'occasion que je mettais pour la première fois. En passant les portes opaques de Roissy, j'avais le cœur qui battait la chamade. Je ne savais pas ce que j'allais trouver. Mais j'étais certaine de risquer gros.

De l'autre côté des barrières, je l'ai vu, un large sourire aux lèvres, qui m'attendait patiemment : Didier. Il avait l'air très cérémonieux, dans un costume gris élégant, avec une épouvantable cravate jaune ! Je me suis sentie vaciller ; il était venu. Nous sommes tombés dans les bras l'un de l'autre. Je ne pouvais plus le lâcher. Quand j'ai enfin relevé la tête, ce fut pour apercevoir Jean-Pierre, à quelques pas, hésitant manifestement sur l'attitude à adopter. J'ai eu l'impression qu'il hésitait à s'en aller, mais Didier, suivant la direction de mon regard, l'avait vu aussi. Il a été forcé de venir vers nous. Il avait l'air mécontent, gêné, et j'étais moi-même très mal à l'aise, sans pouvoir dire exactement pourquoi. Didier s'est présenté, et son nom, qui était plus connu à l'époque qu'aujourd'hui, a accentué le malaise de Jean-Pierre. J'ai essayé de me renseigner sur le calendrier des jeux auxquels je devais ma présence en France, tandis que lui essayait d'apprendre où je logerais. La discussion était absurde, on voyait bien que nous poursuivions chacun notre propre idée, et mes impressions négatives s'intensifiaient. Didier, qui jusque-là avait observé la scène sans s'en mêler, a réagi. Sèchement, il a informé Jean-Pierre que j'habiterais chez lui, à Auxerre, et que pour me joindre il faudrait passer par lui. Jean-Pierre m'a jeté un dernier regard, sans avoir répondu à aucune de mes questions, et il a lâché sur le ton du reproche, comme malgré lui :

— Tu ne m'avais pas dit que tu connaissais quelqu'un ici.

J'ai haussé les épaules.

— Je t'appellerai, a-t-il alors lancé, avant de battre en retraite.

Durant les jours qui ont suivi, je n'ai plus entendu parler de lui, mais l'histoire me laissait un goût un peu inquiétant d'inachevé, l'impression d'avoir sans doute échappé à quelque chose que j'aurais aimé pouvoir m'expliquer. Ce n'est que bien plus tard que Jean-Pierre a refait surface en demandant, par l'intermédiaire d'un membre de la Fédération de foot, le remboursement de tous les frais qu'il avait engagés pour me faire venir en France. De la compétition de handball dont il m'avait parlé, je n'ai jamais vu le moindre signe. Didier, pour se débarrasser de lui, a accepté de payer et Jean-Pierre a complètement disparu de la circulation. Mais l'énigme n'était toujours pas résolue. Tout cet argent que j'avais touché (c'était bien peu, en fait, mais cela représentait à l'époque une véritable fortune à mes yeux), cette mission que j'aurais dû remplir, cette manifestation sportive fantôme, dont je ne trouvais nulle part mention...

Quelque temps plus tard, alors que je regardais le journal télévisé avec Didier, nous avons vu un reportage sur le démantèlement d'un vaste réseau de prostitution. Les hommes faisaient venir des filles d'Afrique, sous différents prétextes, et dès leur arrivée les mettaient sur le trottoir ou les expédiaient dans les bordels d'Amsterdam. Nous nous sommes regardés, Didier et moi, sans mot dire. Je pense vraiment avoir échappé au pire, ce jour-là, grâce à mon mari. Car probablement, s'il ne s'agissait pas de ce réseau précisément, c'était bien le fin mot de l'histoire.

Cela fait partie des choses que je n'oublie pas. Et pourtant, comme il me paraît loin à présent ce jour où j'ai débarqué en pays inconnu, sans ressources et pleine d'espoir, avec l'intuition que tout pouvait mal tourner et en même temps une confiance folle et téméraire dans ma bonne étoile. Les mille pièges que doit affronter une jeune femme, noire, pauvre, qui tente l'aventure hors de chez elle, je pense les avoir tous rencontrés. Ma vulnérabilité était totale. Je sais que j'ai eu de la chance. Aujourd'hui, on parle à nouveau beaucoup des réseaux de prostitution de jeunes femmes, de jeunes filles aussi, venues des pays de l'Est, et les lois Sarkozy ont été l'occasion de remettre au goût du jour le débat sur la conduite à tenir. Comment lutter contre la prostitution, comment la juguler, tout en parvenant à protéger ses principales victimes, les prostituées elles-mêmes ? Le nouvel arsenal législatif, qui revient finalement à une pénalisation forte des prostituées elles-mêmes, ne fait qu'aggraver la situation, au dire de toutes les associations présentes sur le terrain. Il rend leur travail plus difficile, car il contribue à rendre le phénomène moins visible. Opacifiant le monde déjà trouble de la prostitution, les nouvelles lois l'enracinent et le rendent plus dangereux encore. Je crois fermement qu'on ne « choisit » pas la prostitution. On la subit, on l'adopte poussée par la misère, mais on ne la choisit pas. Les prostituées sont les victimes de conditions économiques désastreuses. Le principal outil doit alors rester la prévention. Mais il est épouvantablement difficile de coordonner l'action sociale, les crédits ne cessent de diminuer. Et les femmes continuent de souffrir.

J'ai récupéré ma petite valise et nous avons pris la route. Didier conduisait vite, nous ne parlions presque pas. Je regardais défiler la campagne si verte. Des panneaux sur le bord égrenaient en belles lettres blanches des noms pour moi déjà familiers : Fleury, Barbizon, Milly-la-Forêt, Fontainebleau, qui me renvoyaient vers mes lectures.

J'avais ouvert le toit de la décapotable (j'ai su plus tard que Didier l'avait achetée pour moi), le vent m'étourdissait. Nous avons quitté l'autoroute, avons passé le petit pont, et sommes arrivés dans ce que j'appelle l'Allée, avec la majuscule du respect : une large et majestueuse voie très droite, encadrée d'arbres centenaires, si française que j'avais l'impression d'en avoir vu cent fois l'illustration. Je pénétrais dans un royaume.

Puis nous sommes entrés dans Auxerre. Didier a conduit jusqu'au 21 *ter*, rue de Boucheries, et s'est garé devant une petite maison de ville à colombages. En duplex, avec ses poutres et ses grandes pièces lumineuses, son mobilier simple, elle était conviviale et agréable. Didier est parti se changer, il a quitté son costume et sa cravate. En l'attendant, je parcourais les lieux, cherchant à trouver des indices. Je me rendais compte à quel point je le connaissais peu, je me traitais de folle d'être venue comme ça, les mains vides, sans solution de repli si quelque chose tournait mal. J'avais pourtant envie de rire. Je pensais à la cravate jaune qui lui ressemblait si peu et qu'il étrennait sans aucun doute en mon honneur. J'y voyais un bon signe.

Il y avait dans une bibliothèque toute la collection des Tintin d'Hergé, à mon grand étonnement. J'avais lu *Tintin au Congo*, et devant ce que j'estimais être un racisme odieux, fruit d'une époque et né dans un pays colon, bien sûr, j'avais juré de ne plus jamais ouvrir un album d'Hergé. Il me semblait qu'il fallait être d'un très grand masochisme pour lire cela, et pourtant j'étais une grand fanatique de bande dessinée. C'est une discussion que nous avons eue une bonne centaine de fois, Didier et moi, par le futur. De la même façon, je suis montée sans succès au créneau, auprès de ses amis footballeurs à propos d'une de leurs marques de vêtements préférées puisqu'on sait que son fondateur se répand dans les médias contre les nègres... Le combat pour la dignité et l'égalité est à mener sans cesse et sans répit, mais je n'ai jamais pu convaincre Didier qu'Hergé était selon moi le diable, ni nos amis footballeurs qu'il fallait boycotter absolument leur marque favorite...

Didier est revenu dans le salon en tenue d'entraînement, manifestement bien plus à l'aise. Il a regardé sa montre, et il a juré :

— J'ai entraînement à 15 heures. Le coach va me tuer si je suis en retard. Tu préfères rester ici ou m'accompagner au stade ? J'en ai pour deux heures au maximum.

Ma vie de femme de footballeur a commencé à ce moment précis.

Le voyage avait été long, mon avion avait eu du retard, mais je n'étais pas fatiguée. Au contraire, j'étais dans un état d'excitation intense, je me sentais l'âme d'une conquérante, fébrile, ravie, pas d'humeur à m'enfermer seule dans cette maison encore inconnue. Nous sommes remontés en voiture et avons filé vers le stade de l'Abbé-Deschamps. Arrivés là, Didier m'a embrassée et il a filé comme une flèche. Je suis sortie de la voiture et me suis adossée au capot pour respirer l'air de France. J'avais un peu froid dans ma robe légère, le ciel était couvert, mais j'étais heureuse.

Le temps a passé, j'imaginais les joueurs dribbler sur la pelouse, courir, s'échauffer, j'entendais quelques éclats de voix, pas grand-chose. Le parking était désert. Je commençais à m'impatienter quand il est apparu. Le coach, celui qui faisait filer doux mon grand diable de petit ami, un homme au physique jovial mais un demi-dieu en Afrique, une véritable idole et une autorité en France même : Guy Roux, bien sûr. J'en ai eu le souffle coupé. Si mes amis d'Abidjan apprenaient que j'avais aperçu Guy Roux, même de loin, j'accéderais aussitôt à un autre statut, je serais faite reine du monde footbalistique. Mais ce qui a suivi était plus incroyable encore, et cette fois, personne ne m'aurait crue. Guy Roux m'a vue qui le dévisageait et il s'est dirigé vers moi. Arrivé à ma hauteur, il m'a souri.

— Excusez-moi de vous demander ça, mais je parie que vous êtes somalienne. Issaq ?

J'ai acquiescé, étonnée. Il est rare de rencontrer des Européens qui connaissent l'Afrique à ce point. Il s'est mis à me raconter :

— Mon père était soldat, c'est comme ça que j'ai connu la Corne de l'Afrique. Vous êtes ici pour qui ?

À ce moment, j'ai aperçu Didier qui sortait des vestiaires et venait vers nous. Suivant mon regard, Guy s'est retourné et s'est pris la tête entre les mains.

— Non, pas lui, tout mais pas lui ! Une si jolie femme, pour un type pareil. Quel gâchis !

Derrière l'humour de la remarque, il y avait un arrière-goût doux-amer que je n'ai pas saisi tout de suite, mais qui était au centre des préoccupations de mon futur mari et qui allait influer sur sa carrière et plus largement sur notre vie. Guy Roux était un peu comme un père pour Didier. C'est lui qui l'avait repéré et l'avait fait venir en France, à l'âge de douze ans. Il s'était occupé de lui, pas seulement professionnellement. Il avait été la première et, pendant longtemps, la seule présence amicale, quasi familiale, autour de Didier. Une carrière de sportif c'est souvent une chance pour les enfants pauvres – je sais de quoi je parle. Mais on pense trop peu aux difficultés que connaissent ces gamins déracinés, comme Didier qui a quitté sa Côte-d'Ivoire natale, sa mère et ses sœurs pour un pensionnat de Bourgogne à un âge où l'on est encore un enfant. Les liens qui unissaient les deux hommes étaient donc très forts, très passionnels. Lorsque Didier avait choisi de jouer en équipe nationale pour la Côte-d'Ivoire et non pour la France, comme le lui permettait sa double nationalité, Guy l'avait vécu comme une trahison.

En tout cas, Guy Roux est le premier habitant d'Auxerre que j'ai rencontré, et notre amitié a été immédiate. Au plus fort de sa brouille avec mon mari, je pouvais encore l'appeler à tout moment, lui demander n'importe quoi. Et c'est toujours le cas aujourd'hui. Il ne m'a jamais laissée tomber, et ne m'a pas ménagé son soutien. En échangeant une franche poignée de main avec lui, sur le parking du stade avant de remonter dans la voiture, je scellais aussi mon entrée dans la notabilité auxerroise.

En juin, j'ai reçu un bref coup de fil de ma mère, qui m'a appris qu'elle arrivait bientôt chez moi, à Auxerre. Chez moi, c'est-à-dire chez Didier, à qui elle ne semblait pas songer à demander son accord. Je lui en ai parlé et heureusement, avec son habituelle générosité, il a accepté tout de suite. Il était très content à l'idée de la rencontrer, se réjouissait de voir enfin celle dont je lui avais pourtant si peu parlé. Moi, au contraire, j'étais horriblement tendue, j'avais peur que tout tourne mal. Juste avant qu'elle vienne, je me suis lancée dans un ménage de fond de l'appartement et surtout j'ai déménagé mes affaires de la chambre de Didier, dans laquelle j'avais dormi jusque-là. Le jour dit, nous sommes partis pour Paris, et avons attendu son arrivée à l'aéroport. J'étais nerveuse, Didier ne comprenait pas mon attitude. Quand les portes se sont ouvertes, je l'ai vue entrer, grande et imposante, enveloppée d'une robe traditionnelle de couleur vive, à fleurs rouge et jaune, un voile noir bleuté recouvrant ses cheveux. Elle est venue droit vers nous, m'a embrassée brièvement. Même lors de retrouvailles, ma mère ne se permet pas d'être tendre. Ses manifestations d'affection restent rares et toujours un peu brutales. Mais j'étais émue de la revoir, tant de choses s'étaient passées depuis mon départ de Djibouti. Avec elle, c'est l'odeur de mon passé qui me revenait. Me fragilisait, aussi. Nous sommes partis. Elle avait peu de bagages, mais portait sur elle tous ses bijoux. J'ai vu tout de suite le coup d'œil réprobateur qu'elle jetait sur mon cou et mes poignets, où ne brillait pas d'or. À ce sujet, nous n'avons jamais été d'accord...

Dans la voiture, je devais assurer la traduction car ma mère n'a jamais appris le français et Didier ne parlait pas le somalien. Lui était ravi, très gai, il jouait le gendre idéal mâtiné de guide touristique, il était tout à son élément. Ma mère hochait la tête, sévère et impassible, décidée à ne pas se laisser impressionner. Le trajet fut une rude épreuve pour moi.

Arrivée à la maison, elle a eu un coup d'œil appréciateur – le premier – pour inspecter les lieux. Je lui avais laissé la chambre d'ami pour m'installer sur le canapé. Je n'avais rien dit de mes relations avec Didier et elle ne me posa aucune question. Elle semblait considérer que, chez moi, je pouvais vivre selon mes propres lois.

Les journées se sont organisées tranquillement. Quand il n'était pas à l'entraînement, Didier nous emmenait en voiture visiter la région, les vignobles, la belle campagne de Bourgogne que je connaissais encore si mal. Il faisait des efforts pour dérider ma mère, ce que je savais être peine perdue. Mais, pour moi, cette approche touristique de la région était passionnante. Je ne connaissais d'Auxerre et de la Bourgogne que France Gall et Rappeneau, quelques poèmes de Marie Noël appris à l'école primaire, et bien sûr l'AJ de Guy Roux. Je découvrais à présent les charmes ruraux des mille communes alentour, les villages rassemblés autour de leur clocher, les marchés sur les petites places, qui ressemblaient à tous les marchés du monde, même à ceux de mon enfance, les fermes cossues des gros viticulteurs. La région m'enthousiasma comme elle n'a jamais cessé de le faire depuis.

Au cours de son séjour, ma mère a appris alors la maladie d'Ahmed, mon frère aîné qui vivait à présent en Angleterre. Elle n'avait pas assez d'argent pour aller lui rendre visite, ni pour le faire soigner. Elle était inquiète et mécontente, je ne savais pas comment l'aider. C'est le moment qu'a choisi Didier pour se déclarer. Il a pris ma mère par le bras et l'a conduite dans le salon. Nous nous sommes assis tous les trois, et il m'a dit :

— Safia, tu vas traduire mot pour mot ce que j'ai à dire à ta mère.

Je n'avais aucune idée de ce qui allait suivre, mais j'ai acquiescé. Et il a demandé ma main à ma mère. Il a fait un discours élégant, a parlé de son amour pour moi, et a plaidé sa cause. Cela fait, il a entamé la liste des arguments qu'il devinait recevables pour ma mère. Il a dit que s'il me choisissait moi, il m'acceptait avec ma famille tout entière. Il a proposé de payer une dot. Je lui en suis reconnaissante, car cela ne se pratique pas en Côte-d'Ivoire, et je connaissais son opinion sur cette pratique. Il a proposé de faire bâtir une maison à mes parents. Ensuite, il s'est engagé à aider mes frères et sœurs.

Ma mère avait revêtu son masque de commerçante avisée. Mais je devinais ce qu'elle pensait. Elle croyait que je n'étais plus vierge, je n'avais donc plus aucune valeur sur le marché du mariage au pays. Certes, Didier était un sauvage d'Afrique de l'Ouest; certes, il était chrétien. Mais il était riche, amoureux, et assez fou pour vouloir payer ce qu'il avait déjà. Néanmoins, elle a réservé sa réponse. Elle a dit que cette décision revenait à mon père. Mais je savais que dans son cœur, le choix était fait. Pour conclure l'accord, Didier a offert de payer son voyage en Angleterre. Et il a obtenu gain de cause.

C'est ainsi, de cette bien peu romantique façon, que mon mariage avec l'homme que j'aimais s'est conclu. Moi, assise entre lui et ma mère, à la fois objet et simple interprète de mon destin. Je n'avais pas envie, pourtant, de me marier. J'avais trop vu ma sœur souffrir de ce lien que je ne pouvais trouver que régressif, signe de la perte définitive et irrévocable de la liberté. Mais j'étais passive, presque hypnotisée par mon sort qui semblait se jouer sous mes yeux sans rien réclamer de moi en retour. Et je n'avais pas encore assez de force, assez d'indépendance, je n'étais pas encore assez libre pour m'opposer et affirmer ma propre façon de vivre ma vie. Le poids de la tradition, la responsabilité de ma famille – ils comptaient tous sur moi, et sur moi seule, pour s'en sortir –, et une sorte de lassitude devant tous ces combats que j'avais dû mener seule, devant tous ceux qui restaient encore à remporter..., tout cela m'a fait baisser la tête et m'a rendue docile, moi la rebelle.

Ma mère est donc partie pour l'Angleterre en m'assurant qu'elle reviendrait pour s'occuper de tous les détails de la cérémonie. Elle nous a laissés, mon futur époux et moi, fraîchement fiancés et un peu ahuris. À compter de ce jour, Didier n'a jamais renié les promesses qu'il m'avait faites par l'entremise de ma mère. En plus d'être un époux formidable, il a été un père, un frère, un ami pour moi, et un allié pour ma famille. Je lui dois beaucoup.

Nous nous sommes mariés civilement quelques mois plus tard, à Sochaux car Didier avait été prêté à ce club. On venait de s'installer dans une nouvelle maison, une maison moderne avec un grand salon chaleureux et une cuisine ouverte où j'imaginais réunir une grande famille et les amis de mon mari. C'était la première fois que j'avais à ma disposition un espace aussi grand, je mis longtemps à m'y sentir parfaitement à l'aise et légitime. Ma mère qui était de retour comme elle l'avait promis aurait voulu une cérémonie luxueuse, mais cette fois j'ai résisté. On a fait un compromis et j'ai accepté de porter une robe blanche, c'est tout. Quand elle a voulu insister, je lui ai dit que tout l'argent qu'elle voulait que j'investisse dans ce mariage, je préférais le lui donner à elle. Ça l'a convaincue.

Les pâtissiers Cassar, un couple qui tient la délicieuse boulangerie la plus ancienne d'Auxerre, près de la mairie, et qui avaient été les premières personnes à se montrer amicales avec moi, après Guy, ont été mes deux témoins. Ils sont aussi les parrain et marraine de mon aîné, Kévin. Le mariage s'est bien passé, et le lendemain chacun est rentré chez soi, les Cassar à Auxerre, ma mère à Djibouti, et Didier a repris l'entraînement. C'était le 6 septembre 1993. Didier et moi avions vingt-quatre ans.

La vie du footballeur, et donc celle de sa femme, tourne autour d'un ballon rond. Tout est réglé en fonction des matchs, c'est la famille entière qui entre en deuil quand le joueur a raté son penalty, ou pis encore, quand il est resté pendant la rencontre sur le banc de touche. On finit forcément par prendre le jeu au sérieux, trop sans doute. Les joueurs se fréquentant beaucoup, en dehors même des entraînements, les femmes se rencontrent aussi, et il est tentant de reconstituer une communauté rassurante, bien que souvent secrètement minée de l'intérieur par des tensions qui empoisonnent la vie de l'équipe, comme les problèmes de concurrence entre joueurs.

C'est pour échapper à cet univers à la fois chaleureux et un peu oppressant que je m'étais inscrite en licence STAPS à Besançon, pour compléter le cursus que je n'avais pas achevé à Abidjan. Quand Didier n'était pas en Côte-d'Ivoire pour les matchs de l'équipe nationale, il m'accompagnait le matin à l'université. Les autres jours, je prenais le car très tôt pour me rendre à mes cours. Puis, à la mi-octobre, j'ai pris un petit appartement en colocation avec une Française, en plein Besançon, au bord de la rivière. Didier venait me chercher le vendredi et me raccompagnait le lundi. J'avais rencontré une étudiante djiboutienne avec qui j'avais fait du sport autrefois, Samia, et qui se retrouvait par hasard dans la même université que moi, mais je me sentais pourtant très seule. L'hiver était glacial, gris, plombé. Un hiver français, je le sais à présent. Mais c'était le premier pour moi, le soleil d'Afrique me manquait cruellement. Je me sentais léthargique, j'avais du mal à nouer des amitiés à la faculté, alors que j'avais toujours tellement aimé rencontrer les gens. Je me sentais dépassée par les événements. Et ma vie conjugale n'était pas facile. Car, contrairement à ce que pensait ma mère, j'étais toujours vierge. J'étais paniquée, je ne savais pas comment faire face au problème de mon infibulation. Didier, en homme civilisé, ne voyait pas d'autre solution que la chirurgie. Mais j'étais honteuse au point de ne pouvoir en parler avec lui. Je mangeais très peu, dépérissais à vue d'œil, j'avais le mal du pays. Et je me disais : « Safia, pourquoi es-tu allée te mettre dans une situation pareille ? À Djibouti, tu serais normale, tu serais même une reine. Ici, tu es une aberration et ton mari n'est que trop charitable de te garder. »

Autre chose me torturait secrètement. Ma vie, pour la première fois de toute mon existence, était facile, agréable, trop. Tout était trop, d'ailleurs. Didier venait de s'acheter une nouvelle voiture, une Porsche dont le prix aurait suffi à faire vivre un village africain entier pendant des années. Il me couvrait de cadeaux, nos placards et notre frigidaire étaient pleins. Je n'avais plus besoin de lutter pour obtenir quoi que ce soit, tout me tombait tout cuit dans les bras. Ce qui avait fait ma vie jusque-là avait perdu son sens, le caractère que je m'étais forgé et qui m'avait permis de survivre ne me servait plus à rien. Chaque fois que je téléphonais chez moi, ou à mes tantes de Somalie, on m'apprenait le décès de quelqu'un que j'avais connu. J'avais honte d'être si riche, honte de ne rien faire, ou si peu, pour les miens. Honte aussi de dépendre uniquement de mon époux. En quelques semaines, j'ai sombré.

Un matin, sur le chemin de la fac, je me suis évanouie. On m'a ramenée chez moi, Didier est accouru, inquiet, et m'a conduite à l'hôpital. Le médecin a diagnostiqué « une petite dépression »...

L'hiver a continué, j'ai arrêté les cours de STAPS, Didier m'a entourée d'amour, et j'ai surmonté cette phase, doucement. J'ai enfin accepté ce qu'il me proposait : un rendez-vous chez le gynécologue.

Dans la salle d'attente, je me sentais dans la peau d'un lièvre effrayé. Dix fois j'ai voulu me lever et m'enfuir. Dix fois, Didier m'a devinée et, d'une pression sur le bras, convaincue. Incrédule, je regardais toutes ces femmes, certaines beaucoup plus jeunes que moi, qui semblaient trouver normal ce rituel. Quand la secrétaire a appelé mon nom, « Mme Safia Otokoré », je me suis dirigée en chancelant vers le cabinet qui se trouvait au bout du couloir. Je suis entrée dans la pièce. Le médecin me tournait le dos, il se lavait les mains. Sans me regarder il m'a dit :

— Déshabillez-vous et installez-vous sur la chaise.

Comme une automate, j'ai obéi. Je me suis hissée sur le fauteuil d'examen, j'ai posé les pieds sur les étriers, j'ai attendu. J'avais imaginé que je lui parlerais, que je lui expliquerais ce qui m'amenait, mais devant cet homme qui ne m'avait pas même regardée, je me trouvais muette et démunie. Il a terminé de se laver les mains, puis est venu jusqu'à moi sur son petit tabouret roulant. Je n'oublierai jamais son expression lorsqu'il a relevé la tête. Nous nous sommes dévisagés un instant, puis il a marmonné :

— Je n'ai jamais vu ça.

Et, la seconde suivante, il plongeait derrière son bureau et en ressortait armé d'un polaroïd.

Ce fut une course effrénée. J'ai bondi dans mon jean et me suis rhabillée à la vitesse de l'éclair, puis j'ai foncé dans le couloir. Il s'est élancé derrière moi, son appareil à la main. Didier, qui patientait toujours dans la salle d'attente, m'a vue passer comme l'éclair, poursuivie par le médecin qui hurlait : « Pour la science, vous devez accepter, c'est pour la science. » Mais je n'avais pas été championne de 100 mètres pour rien, et je n'ai eu aucun mal à le semer.

Cette affaire ne s'est finalement réglée que des mois plus tard, à Auxerre, grâce à un homme formidable. Ce médecin libanais, qui avait connu la guerre, a su toucher juste. Il n'a pas dramatisé la situation, il m'a tout simplement prise au sérieux et écoutée avec respect. Devant lui, j'ai eu moins honte. Je sais que de plus en plus d'hommes musulmans demandent que ce soit un médecin femme seulement qui examine leurs épouses, mais je crois que c'est un faux débat. Le fossé culturel dans le rapport au corps et à la sexualité existe, indéniablement, il est important et demande à être pris en considération. Mais mon expérience me pousse à croire qu'un médecin homme correctement formé et sensibilisé à cette question s'en tirera aussi bien qu'une femme. Encore faut-il qu'il ait suivi une formation ou que sa sensibilité lui permette de s'adresser correctement à des femmes qui n'ont le plus souvent reçu aucune éducation sexuelle. Reste à en convaincre les maris...

L'opération était extrêmement simple et m'a permis d'avoir enfin une vie sexuelle normale.

La chirurgie a réparé l'aberration qu'on m'a fait subir dans mon enfance, mais je garde de moi l'image d'une femme mutilée dans sa partie la plus intime. Je ne peux pas m'empêcher de me voir comme handicapée, malgré les années qui se sont écoulées. L'excision est une abomination car, au-delà de la douleur physique, il y a la sensation, insupportable, qu'une partie du corps nous est enlevée, et qu'elle nous est enlevée à nous les femmes au service d'une certaine idée de la société et des rapports entre les hommes et les femmes. Une blessure guérit, pas une mutilation. Quand j'entends, aujourd'hui encore, de bonnes âmes plaider pour les libertés culturelles, la colère me prend. L'esclavage, le marquage, la torture, les mutilations ne sont pas du ressort des libertés culturelles. Je ne parle pas seulement de la loi qui doit s'exercer de manière impitoyable contre les femmes qui, sur le territoire français, soumettent leurs enfants à cette horreur, et contre les hommes qui ferment les yeux. Je parle aussi des mesures que la France devrait prendre, des pressions qu'elle devrait exercer pour faire cesser l'avilissement odieux auquel sont soumises toutes les femmes de mon pays. Dans les années 70, l'anthropologue A. de Villeneuve a appelé la Somalie « le pays des femmes cousues ». J'ai honte de venir d'un pays qui porte si bien ce nom. Les chiffres sont énormes : selon l'OMS, cent dix millions de femmes à travers le monde sont excisées et/ou infibulées. De nombreuses associations locales ont entamé une lutte contre ces pratiques, avec souvent à leur tête des femmes d'un remarquable courage, car il en faut pour s'élever contre les diktats d'une société. Mais elles rencontrent de nombreux problèmes : la discontinuité des services, l'absence d'appui institutionnel, les résistances psychologiques, archaïques, la loi du silence. Chaque année, dix millions de fillettes sont excisées.

Le travail accompli par ces femmes qui se sont investies dans la lutte contre les mutilations génitales féminines est remarquable. Mais ce n'est pas assez. Des mesures doivent être prises au niveau institutionnel, des mesures coercitives. Sinon, le combat mettra encore des dizaines d'années, et pour chacune de ces années, ce sera autant de milliers de petites filles qui seront mutilées.

2

Tour de France

Par une triste soirée, alors que j'achevais de me remettre de l'opération, j'étais seule à la maison et je regardais à la télévision un match auquel participait Sochaux. Didier était sur le banc de touche. Sa carrière connaissait un creux depuis sa brouille avec Guy Roux. Je savais qu'il en souffrait beaucoup, et je regrettais de ne rien pouvoir faire pour l'aider. Le téléphone a sonné, c'était Luis Fernandez.

— Vous êtes la femme de Didier ? Vous pouvez lui faire passer un message ? Dites-lui que s'il a envie de jouer plutôt que de s'emmerder en touche, eh bien Cannes l'attend.

Je me suis redressée sur mon canapé.

— Cannes, Cannes... C'est dans le Sud, n'est-ce pas ? Il fait combien de degrés, en ce moment ?

Luis Fernandez a répondu le plus sérieusement du monde :

— Plus chaud qu'à Sochaux. Vous êtes de mon côté ?

— Considérez que c'est d'accord !

Le soir même, j'ai entrepris de convaincre Didier, et j'ai réussi. Le transfert ne s'est pourtant pas fait dans des conditions agréables. Les joueurs sont trop souvent considérés comme de simples marchandises, achetés, revendus, échangés. Une fin de carrière ou un problème particulièrement épineux avec un entraîneur ou un dirigeant de club peuvent entraîner des épisodes douloureux, de véritables dépressions parfois. L'argent qui circule à flux tendu, les intermédiaires nombreux qui parasitent les transactions et le fait que les joueurs ne sont parfois qu'à peine consultés sur des choix dont vont pourtant dépendre non seulement leur carrière mais également leur vie familiale les soumettent à un stress dommageable, dont j'ai pu être souvent témoin. Finalement, Didier n'a pu quitter Auxerre, après de longues et interminables discussions avec les entraîneurs, qu'en promettant qu'il ne participerait pas à la prochaine rencontre Cannes-Auxerre.

Quelques jours après la conclusion du marché, nous partions pour Cannes. Nous y avons passé six mois. À l'exception, notable, du climat que j'ai trouvé formidable, je n'ai pas su apprécier la ville. Son côté clinquant, m'as-tu-vu, encore plus prononcé quand on vit dans le milieu du football professionnel, a achevé de me dégoûter de ce qu'était devenue ma vie. Didier, lui, était heureux de m'offrir une existence luxueuse, ensoleillée, paisible. Moi, je rongeais mon frein. Mais, contrairement à la réaction que j'avais eue à Sochaux, je n'ai pas laissé mes états d'âme et mes questionnements me plonger dans le marasme, la déprime, la léthargie. Au contraire, petit à petit, j'ai eu l'impression de me réveiller enfin. J'ai commencé à m'intéresser à la vie politique française, je lisais tous les journaux, je comblais mon retard. Mes lacunes étaient nombreuses, mais j'étais décidée à les rattraper. Très vite, cela n'a plus suffi, je m'ennuyais. La solution qu'on me proposait, c'était le shopping avec les autres femmes de joueur, les instituts de beauté, le farniente. Rien de tout cela ne me convenait. J'avais envie d'air, de liberté et, surtout, d'activité.

En juin, nous sommes partis pour la Côte-d'Ivoire, passer l'été dans la famille de Didier. J'aimais toujours autant ce pays, j'y retrouvais mes amis, mais j'avais l'impression d'être en attente de quelque chose. En juillet, nous sommes rentrés en France, à Guingamp cette fois, où Didier avait été muté. J'étais enceinte de mon fils aîné, mais pour l'accouchement, je suis repartie pour Auxerre. C'est dans cette ville et nulle part ailleurs que je voulais mettre mon fils au monde. Auxerre était ma terre d'adoption, je voulais m'y enraciner. Les Cassar m'ont hébergée quelques semaines à ma sortie de maternité, puis nous sommes repartis, Kévin et moi, retrouver Didier à Guingamp.

Ma nouvelle maternité m'a donné de l'énergie. Je me suis jetée à l'eau. À cause de cette façon que j'ai de poser des couvercles comme autant de jalons à chaque nouvelle étape de ma vie, j'ai l'impression que la partie qui m'a conduite au point où j'en suis aujourd'hui a bien commencé là. Je me suis inscrite à la faculté de Rennes et j'ai cherché un emploi. Je ne connaissais personne en ville, alors j'ai pris mon courage à deux mains et j'ai fait le tour de tous les endroits dans lesquels je pensais pouvoir rendre service. Didier n'était pas enchanté à l'idée que je me mette à travailler. Il n'en voyait pas l'utilité, il aurait préféré que je reprenne mes études, ou tout simplement que je profite de la vie qu'il pouvait m'offrir. Mais j'avais été si mal durant la première année de notre mariage qu'il avait décidé de me laisser toute ma liberté et de soutenir mes projets, autant qu'il pouvait.

J'ai décroché mon premier emploi en France : un stage dans un centre APAJH pour handicapés, que je devais accomplir dans le cadre de mes études. Le foyer accueillait des adultes handicapés physiquement et mentalement. Je découvrais tout de cette population, ses besoins spécifiques, sa vulnérabilité et son courage. Avant le début de mon stage proprement dit, j'ai commencé à leur rendre visite régulièrement, toutes les semaines, à la fois pour les habituer à ma présence et pour m'accoutumer au travail qui m'attendait. Je rendais de menus services, je rangeais leurs chambres, j'aidais à les laver et tentais d'être utile pour les tâches courantes. Eux me posaient beaucoup de questions, une femme d'une quarantaine d'années en particulier me demandait chaque fois qu'elle me voyait pourquoi j'étais noire. Je lui disais : « C'est ma crème de beauté, tu en veux un peu ? » Elle riait, et disait oui. Quand j'ai commencé mon stage, je les ai accompagnés en voyage d'une semaine aux sports d'hiver. J'avais dit au directeur du centre que je skiais bien – alors que je n'avais évidemment jamais mis les pieds à la montagne ni vu la neige de près une seule fois de ma vie... Dès notre arrivée, je me suis portée volontaire pour la luge et les activités à mobilité réduite. J'ai tout de même dû faire une balade à skis de fond, je pense être tombée huit cents fois en moins d'une heure, à la grande joie de tous les pensionnaires qui pensaient que je faisais ça pour les amuser, mais provoquant la perplexité polie des autres éducateurs. Le séjour fut formidable, bien qu'il ait fait vraiment trop froid à mon goût. Dans mon rapport de licence que j'ai rendu à la fin de l'année, j'ai tiré profit de cette expérience enrichissante pour comparer les rapports au handicap entretenus à Djibouti, en Côte-d'Ivoire et en France.

Peu de temps après, j'ai trouvé le meilleur job que j'aie jamais eu. Il y avait à Guingamp une triste, une pitoyable équipe de jeunes basketteurs. Délaissés, sans entraîneur, ces adolescents méfiants végétaient et étaient considérés par tous comme de la graine de délinquant – parfois à juste titre. Sans distractions et sans soutien, ils passaient leurs journées à traîner. On m'a proposé de prendre l'équipe en main. Voilà un défi à ma hauteur, ai-je pensé. Et j'ai convoqué tous les joueurs. J'arrivais sous l'épaule du plus petit, et notre première réunion ayant lieu un samedi, j'avais Kévin endormi dans sa poussette. Pas de quoi asseoir mon autorité sur ces grands garçons maussades. Je me suis lancée dans un discours enflammé. Je suppose que personne ne les avait jamais pris assez au sérieux pour leur parler comme je l'ai fait. J'avais de l'expérience. Je savais comment un coach, et l'un des meilleurs, s'adresse à ses joueurs, pour avoir beaucoup observé Guy Roux et avoir entendu par Didier des centaines d'anecdotes sur lui et sur d'autres entraîneurs. Et c'est comme ça que je leur ai parlé. Je n'ai pas lésiné sur les moyens. Je leur ai dessiné des perspectives superbes, je les ai engueulés, je les ai encouragés. Je les ai réveillés.

Ensuite, nous nous sommes mis d'accord sur le programme des entraînements. Aucune absence ne serait tolérée, sous quelque prétexte que ce soit.

J'avais étudié le basket et, surtout, j'aimais enseigner. Pour partager notre passion, je les invitais à la maison et nous regardions les matchs des championnats français et américain sur le câble. Mes jeunes amis étaient très impressionnés de rencontrer un footballeur professionnel. Didier les traitait avec gentillesse et se prêtait souvent au jeu en leur racontant des histoires sur ses collègues et ses débuts de carrière. Les garçons étaient insatiables, leur curiosité jamais démentie. Je les sentais devenir plus sociables, plus ouverts, ils baissaient les défenses. Pendant les matchs régnait un silence absolu. Après coup, on disséquait les performances des plus grands joueurs américains. Ma propre pratique sportive et mes médailles me permettaient aussi de les impressionner un minimum. J'ai été un bon entraîneur. J'ai su gagner leur confiance, devenir leur amie, sans jamais perdre leur respect, sans jamais perdre non plus la possibilité de leur passer un savon quand il le fallait. Le samedi, je venais avec Kévin, c'était la seule condition qu'avait posée Didier car il y avait des matchs. Alors, à tour de rôle, un grand gaillard prenait sa place sur le banc de touche, berçant mon fils, lui donnant le biberon, pendant que j'arpentais le terrain.

Très vite, nous avons eu d'excellents résultats en compétition. Deux de mes gars ont été pris dans un bon centre régional de formation. Et l'équipe s'est soudée. À la fin de l'année, quand Didier a eu un nouvel engagement et que je leur ai appris que je devais partir, plus d'un a versé une larme. Ils sont venus à la maison pour la dernière fois, on a regardé un match ensemble, et on s'est dit au revoir. J'espère qu'ils vont bien, et que ce que je leur ai enseigné leur servira. Pas seulement dans le sport, mais dans la vie. On apprend dans le sport un sens de la compétition, du combat, qui fait souvent défaut aux adolescents des pays riches. C'est extrêmement formateur. Les deux tiers des jeunes de douze à dix-sept ans pratiquent un sport en dehors des cours d'EPS, mais cette pratique est loin d'être égalitaire. Les filles sont nettement moins sportives que les garçons, et les enfants défavorisés moins que les enfants aisés. Le poids du milieu socioculturel est prépondérant. Le sport faisant partie de la politique éducative, il peut être un outil efficace pour atteindre des jeunes qui se replient sur des situations d'échec scolaire ou des difficultés économiques. À Auxerre, ville possédant un club de première division, nous avons mis en place des quotas de billets à tarif préférentiel distribués à chaque match de l'AJ à des adolescents de familles en difficulté. Le but n'est pas seulement d'offrir loisir et sociabilité, mais aussi de pousser ces jeunes vers la reprise d'une pratique sportive qui, tout en développant leurs qualités individuelles, resocialise ces adolescents et leur offre un lien privilégié avec le monde des adultes en la personne de leur entraîneur. Cela donne aussi aux parents une voie d'accès à leurs enfants dont l'adolescence difficile les éloigne parfois...

Cette expérience au sein de l'équipe moribonde de Guingamp me sert donc à moi aussi, tous les jours, dans le cadre de mes responsabilités au sein du PS et à la région. J'y ai beaucoup appris, à la fois sur la vie dans les petites et moyennes villes françaises, sur le désœuvrement d'une partie défavorisée de la jeunesse du pays, et sur le rôle fédérateur, intégrateur, moteur enfin, que peut jouer le sport pour ces enfants-là.

3

L'Afrique ? Mais il n'y a rien là-bas

En 1995 nous sommes rentrés à Auxerre après cette année formidable, l'une des meilleures de ma vie. J'étais heureuse pourtant de retrouver la ville, je commençais à m'y sentir chez moi. Je ne me lassais pas de me promener dans le petit centre historique, avec son horloge et son beffroi, ses rues piétonnes aux pavés inégaux et ses maisons à colombages qui tombaient doucement en désuétude. Les gens y étaient amicaux, j'échangeais des saluts dans les rues. Je me disais, en poussant la poussette de Kévin le long des trottoirs : « Je suis une jeune maman auxerroise », et j'en étais fière.

Je me sentais pleine d'une énergie folle, capable de soulever des montagnes. Je n'attendais que l'occasion de le prouver. Or quand on veut quelque chose, on se saisit de tout ce qui y ressemble, de près ou de loin. Dans mon cas, ce fut la réflexion que fit mon amie Zaza, dans ma cuisine. Je lui parlais de l'Afrique, de Djibouti ou de la Côte-d'Ivoire, je ne sais plus, quand elle a eu cette phrase, naïve et spontanée : « Mais

L'Afrique, il n'y a rien, là-bas. Pourquoi voudrais-tu y retourner ? »

Je ne crois pas avoir répondu sur le coup, peut-être ai-je mollement acquiescé. Mais le soir venu, incapable de m'endormir, j'entendais encore tourner et retourner ces mots implacables : « L'Afrique, il n'y a rien, là-bas. » Ce mépris ordinaire, cette méconnaissance de tout un continent dont l'histoire est pourtant si étroitement liée à celle de la France, cela me faisait mal soudain comme s'il s'était agi de moi, ou d'un de mes enfants plutôt. Mon deuxième, le petit N'Ry, venait de naître. J'avais inventé ce nom pour lui, qui avait à la fois la douce sonorité de mon prénom préféré prononcé à l'anglo-saxonne : Henry, et la belle orthographe d'un prénom africain. Cette nuit-là, dans ma confortable maison auxerroise, tous mes doutes, toutes mes culpabilités et ma honte d'être tellement heureuse, d'avoir tout ce que j'avais toujours rêvé d'avoir, revenaient me frapper. La petite phrase était cruelle et insidieuse. Je n'allais pas pouvoir m'en débarrasser.

Le lendemain, je me suis mise à l'ouvrage. J'ai contacté les Africains d'Auxerre comme j'ai pu, le plus souvent par l'intermédiaire de Didier. Pour certains, je les ai carrément abordés dans la rue. Peu m'importait leur pays d'origine, puisque l'Afrique était vue ici comme une entité solidaire, un bloc monolithique de pays identiques, – c'est pourtant tellement faux, malheureusement –, il fallait agir sur cette base. J'ai réservé une salle de la MJC où j'étais récemment devenue responsable de la musculation. Je n'étais pas capable de rester longtemps inactive, je craignais toujours un peu que la dépression de mes premiers mois en France ne revienne et j'avais trouvé cette place dès notre retour en ville. J'ai fixé l'heure de la première réunion un soir après les horaires de travail des uns et des autres, mais pas trop tard pour qu'il n'y ait pas de désertion de dernière minute. Nous étions une vingtaine dans la salle, surtout des hommes noirs, mais il y avait aussi quelques Français blancs. Tout le monde était poli, silencieux, attentif, et j'étais très intimidée lorsque j'ai pris la parole.

Je ne sais pas si mon discours fut bon, mais je parlai avec conviction. Mon idée était simple : l'Afrique était méconnue et souffrait de nombreux préjugés ici en France, le pays où nous avions choisi de vivre. Nous, Français d'adoption, nous pouvions – nous devions... – contribuer à faire mieux connaître notre continent. C'était tout.

Je me suis rassise, la discussion s'est engagée assez facilement entre les membres du groupe. Une personnalité a très vite émergé : celle de Sylvette, une aide-soignante et déléguée syndicale blanche âgée d'une cinquantaine d'années. On lisait sur son visage déjà marqué que la vie n'avait pas dû être toujours tendre avec elle, mais elle dégageait une impression d'énergie, de bonté et de caractère. Elle semblait séduite par l'idée et reconnaissait gaiement qu'elle-même connaissait mal l'Afrique. À l'issue de cette première réunion, nous avons décidé de créer une association baptisée l'AMCA (Association pour mieux connaître l'Afrique). Nous avons commencé à en discuter les statuts mais j'ai posé tout de suite une condition, qui a fait sourire certains et grincer quelques dents, mais n'a pas été remise en question : je serais la présidente de cette association. C'était bien peu démocratique, mais l'idée me tenait tant à cœur, c'était mon bébé et je voulais être investie de la plus forte responsabilité. Sylvette, qui n'avait pas la langue dans sa poche, a été la seule à se permettre une réflexion, avec humour. Un an plus tard, lorsque Didier a été muté à Louhans, en Saône-et-Loire, et que je n'ai plus eu la possibilité de m'y consacrer à 100 %, c'est elle qui est devenue présidente, et elle a fait des choses formidables pour l'association.

Pour le lancement de l'AMCA, nous avons organisé un grand barbecue et invité de nombreux Auxerrois qu'on espérait intéresser à notre démarche. Ensuite, nous avons entamé le cycle de conférences, d'expositions, de repas aussi pour faire découvrir différentes traditions culinaires... Je ne sais pas si ce fut une réussite absolue, ni si nous avons réussi à convaincre qui que ce soit que non, il n'y a pas « rien » en Afrique, mais au moins nous avons essayé. Surtout, cette initiative m'a permis de rencontrer de nombreux Auxerrois issus de l'immigration et parvenus à différents stades de leur parcours et de leur intégration en France. Cela m'a aidé à mieux comprendre les étapes que traverse un immigré de plus ou moins fraîche date et qui n'a pas autant de chance que mon mari et moi en avons eu. Mais j'ai rencontré aussi nombre de citoyens importants ou modestes nés à Auxerre et n'ayant parfois jamais quitté leur ville. J'ai pu découvrir leur gentillesse, leur désir de compréhension de l'autre, mais aussi les gênes suscitées parfois par des pratiques culturelles différentes. Un fossé restait à combler, même chez ceux qui faisaient preuve de la meilleure volonté du monde. J'ai vu des gens à ce point emplis d'idées reçues qu'il aurait fallu toute une vie pour les extirper et qui pourtant venaient à nos manifestations, preuve que tout n'était pas perdu. Cette initiative m'a permis de mesurer à la fois que la tâche qui restait à accomplir était immense, mais aussi qu'elle était possible. C'est une chose à laquelle je crois vraiment et sincèrement. Toutes ces rencontres, toutes ces expériences vécues pendant un an dans la ville que j'adoptais à chaque instant un peu plus m'ont été précieuses lorsque je me suis lancée dans une carrière politique locale.

Le 30 décembre 1997, j'ai appris le décès brutal de Kaltoum. Je ne reviendrai pas ici sur ses circonstances, mais je dirais simplement que je me suis juré de lutter toujours contre la terrible condition de la femme dans de si nombreux pays.

Je me suis effondrée. Avec Kaltoum, mon enfance disparaissait. La seule à m'avoir jamais prodigué de la douceur, de la tendresse, celle que j'aimais tant, la meilleure d'entre nous. Ma douce Kaltoum, brisée par son destin qui est celui de tant de femmes là-bas.

La douleur m'a assommée. Je n'ai plus été capable de rien. Je ne pouvais que pleurer, inlassablement. Je ne me levais plus, ne me nourrissais plus, je ne m'occupais même plus de mes enfants. J'ai pensé que je ne survivrais pas.

Sylvette, qui était en train de devenir une amie irremplaçable, est venue me voir au bout de quelques semaines à Louhans. Elle s'est assise dans mon salon, elle m'a regardée gentiment, puis elle m'a dit :

— Il faut qu'on parle de l'AMCA.

— Je ne peux pas, Sylvette, ai-je sangloté.

— Mais si, tu peux. Allons.

Et tranquillement, elle a commencé à énumérer les limites de notre association, son pouvoir réduit.

— Nous nous mordons la queue, et quand tous les Auxerrois seront convaincus que la cuisine sénégalaise vaut le coup et qu'on ne mange pas que du serpent confit au Bénin, nous ne serons pas beaucoup plus avancés. Pendant ce temps, l'Afrique continue de souffrir, et nous de ne rien faire, ou presque.

Sans m'en rendre compte, je me suis mise à l'écouter. Pour la première fois depuis des semaines, le nom de Kaltoum qui résonnait sans répit dans ma tête s'est tu un instant. C'est ainsi que je suis revenue à la vie, à travers l'autocritique sévère de Sylvette qui avait bien choisi son moment, et surtout, en recommençant à m'intéresser aux autres.

L'AMCA a changé de nom sans changer d'initiales : elle est devenue Aider et mieux connaître l'Afrique. On a amendé les statuts. La nouvelle politique de l'association est la collecte et l'envoi de dons ciblés sur les besoins des hôpitaux, en tentant d'éviter les écueils du genre. Nous sommes évidemment très sollicités. Pour chaque cas, nous examinons le fondement des demandes, la stabilité de l'hôpital dont elles émanent. Une fois que les éléments rassemblés nous paraissent suffisamment convaincants, nous envoyons une équipe (qui paie elle-même ses frais de voyage) pour une enquête de terrain, et la finalisation des contrats. En compagnie de Sylvette j'ai moi-même participé à un de ces voyages : San Pedro, une cité portuaire ivoirienne. Sur place, nous rencontrons des dirigeants politiques locaux que nous gagnons au projet, et nous choisissons une personnalité précise au sein de l'hôpital auquel le matériel va être offert. Les demandes concernent la plupart du temps du matériel informatique ou chirurgical de pointe. Le contrat lie l'AMCA, l'hôpital, le médecin en son nom propre, et un politique. Cela permet, autant que possible, d'éviter que l'argent ne disparaisse dans la nature en insistant sur les responsabilités personnelles de chacun. Une fois que tout est réglé, un deuxième voyage est organisé, payé cette fois par l'association, pour accompagner le matériel. Les années qui suivent, nous nous efforçons de maintenir un lien régulier, et si tout se passe bien, le matériel est modernisé ou complété tous les trois ans.

Mon propre voyage en Côte-d'Ivoire a été formidable, une expérience humaine qui m'a durablement marquée. Nous avons quitté Abidjan pour San Pedro en plein putsch militaire. Les conditions du voyage étaient périlleuses, mais à la fois par méconnaissance de l'ampleur de la crise qui éclatait, et qui a été très sous-estimée pendant ses premiers jours – la Côte-d'Ivoire étant devenue un pays fréquemment sujet à des troubles politiques violents –, et par obstination, nous avons poursuivi notre route à travers le pays.

À San Pedro nous avons rencontré un homme exceptionnel, le docteur Sébène. Âgé d'une petite quarantaine d'années, ce métis franco-ivoirien avait décidé, dès la fin de ses études en France, de retourner s'installer au pays et de consacrer ses forces à aider son peuple autant que possible. C'était une décision courageuse, et rare, car sa double nationalité et ses excellents diplômes en chirurgie lui auraient permis de s'installer à Paris dans un grand hôpital, et d'y mener une brillante carrière, pleine de lauriers et de satisfactions professionnelles. Le choix de San Pedro était le choix de la difficulté.

Il nous a très vite convaincues de son sérieux. À l'issue d'une heure de discussion avec lui, j'avais la conviction que cet argent ne serait pas perdu.

Nos rencontres avec les politiques ont été plus farfelues mais révélatrices, elles aussi, des mentalités. Ces hommes ne s'adressaient qu'à Sylvette, m'ignorant presque ostensiblement. L'Afrique a l'habitude que l'argent vienne du Blanc et, l'usage aidant, lui accorde une sorte d'évidente suprématie dans la discussion. Là aussi, les mentalités doivent changer, et l'Afrique songer à se reprendre en main, à faire face à son propre visage.

Cela fait maintenant quatre ans que nous suivons de près la clinique du docteur Sébène, que je revois à chacun de mes séjours en Côte-d'Ivoire. Il est même venu nous rendre visite à Auxerre. Il a pu moderniser son établissement d'une façon radicale et opérer chaque jour un plus grand nombre de patients.

L'AMCA a réalisé cinq opérations similaires dans différents pays : le Cameroun, le Bénin, le Togo et la Côte-d'Ivoire. Mes responsabilités politiques ne me permettent plus de consacrer beaucoup de temps à l'association, mais autour de Sylvette, des personnes formidables ont pris le relais. Je m'efforce de les aider autant que je peux. Notre idée, à présent, pour nous permettre de gagner un peu d'ampleur, serait de nous associer avec d'autres associations, comme celle de Mama Dakari.

Je dois beaucoup à l'AMCA et à mon amie Sylvette. C'est en montant cette association, en me battant pour la faire grandir et durer que j'ai appris à fédérer mon énergie. Les gens que j'ai rencontrés en travaillant ainsi, que ce soit en Afrique ou à Auxerre même, sont chers à mon cœur. À leur côté, à leur contact, j'ai grandi et évolué, j'ai grimpé les premières marches qui m'ont conduite à la politique.

4

Un an dans les Émirats

— Dubaï ???

Didier me regarde, souriant, ravi d'avance de l'effet que ne manquera pas de produire sa grande nouvelle : il a été « acheté » par l'équipe du ministre des Finances. Nous partons pour Dubaï.

Pour Didier, le mot est synonyme de luxe, de bonheur. Les avantages consentis à un joueur acheté par l'émir sont inestimables. Nous aurons une grande villa dans une résidence avec piscine. Dubaï, c'est la belle vie, la vie facile. Mais surtout, c'est la certitude de jouer, enfin, pour lui qui vient de passer des mois sur le banc de touche. Pour moi, les Émirats tout entiers sont liés à une histoire plus triste et plus obscure, l'histoire de la misère, de l'immigration, l'histoire de ma famille. Je pressens que je n'aimerai pas ce que je vais y trouver.

Septembre 1998. Je découvre la ville et son architecture folle, végasienne, démesurée. Il n'y a pas de surprise, notre maison est vraiment magnifique bien que très peu à mon goût. Les meubles neufs, en bois luisant et ouvragé, les tapis et la climatisation silencieuse, tout cela me rappelle bien des souvenirs. Chez moi, à Djibouti, c'est le but ultime auquel doit tendre une existence. L'Arabie saoudite et les Émirats sont des modèles à imiter, à atteindre si possible. Je reconnais tout, à commencer par la chaleur terrible, mais je ne me sens pas chez moi. Les garçons sont contents, pourtant, ils aiment leur nouvelle vie. Didier aussi. Nous avons des voitures, un chauffeur si je le désire, la piscine est formidable. Nous fréquentons les autres joueurs, dont les femmes sont oisives comme moi. Rapidement, Didier se convertit à l'islam. Il s'y intéressait depuis longtemps, mais c'est sans doute le fait de vivre dans un pays à majorité musulmane qui le fait basculer enfin. Mais pour moi, qui suis musulmane depuis toujours, pratiquante (et croyez qu'il n'est pas facile de respecter les interdits d'alimentation quand on est élue de Bourgogne et conviée trois fois par semaine à des dégustations de charcuterie et de vins par des électeurs potentiels qu'on n'aimerait pas vexer...), je souffre dans ma chair. Les longues silhouettes recouvertes d'un voile noir, dissimulant même les yeux, ces corps que je ne peux voir autrement que martyrisés, ces visages recouverts d'un masque de cuir par des températures qui avoisinent les cinquante degrés, je ne peux le supporter. Quand on a connu la liberté, on ne peut plus accepter de courber l'échine.

Quelque temps après mon arrivée, j'ai voulu ouvrir un compte en banque. Le responsable de la succursale d'une agence française qui a pris la peine de me recevoir m'a expliqué que les lois de l'émirat m'interdisent ce simple geste. L'ouverture d'un compte courant m'est refusée car je suis une femme. Il me faut impérativement présenter une autorisation écrite de mon responsable, en l'occurrence Didier, mon mari. Bien sûr, je sais qu'il ne refusera pas de me l'accorder, mais je meurs d'humiliation d'avoir à le lui demander. La ségrégation sexuelle qui imprègne toute la société ne m'épargnera pas. Alors j'ouvre un simple compte d'épargne, car à cela j'ai droit et je ne veux pas repartir bredouille.

La ségrégation n'est pas que sexuelle. Elle est religieuse d'abord, raciale aussi, sociale enfin. Les Émirats calculent au chiffre près leurs besoins en main-d'œuvre étrangère – docile, servile, sans droit ni protection –, qu'ils font venir par charter pour des durées précises correspondant à la réalisation de grands travaux architecturaux. Et, de fait, des immeubles s'érigent à des vitesses hallucinantes, la ville est en construction permanente. Dubaï a un petit PIB comparé aux six autres émirats de la fédération et ses revenus ne proviennent pas du pétrole. Son moteur, ce sont les affaires, sur le modèle de Singapour par exemple. Elle est la ville des superlatifs : le plus grand hôtel, l'immeuble le plus haut, le gâteau le plus gros, la plus belle course de chevaux... Et aussi : le plus fort taux mondial de population immigrée par rapport à la population locale. À Dubaï, les natifs sont sept fois moins nombreux que les étrangers, et bien que la citoyenneté ne soit quasiment jamais accordée (elle n'est accessible que sur autorisation spéciale du cheikh Muhammad), les bébés indiens naissant dans les hôpitaux de la ville sont trois fois plus nombreux déjà que les bébés arabes. Il y a 1,2 million d'Indiens, 600 000 Pakistanais, 100 000 Iraniens. Les citoyens des Émirats ne forment que 8 % d'une population qui dépasse le million.

À Dubaï ne règnent ni la démocratie (il n'y a pas d'élection) ni le multipartisme. Un paternalisme politique est de vigueur, relativement tolérant (il n'y a pas de prisonniers politiques). En fonction de la nationalité d'origine, de la religion, et du salaire, les lois ne sont pas les mêmes. Par exemple, un travailleur immigré n'est autorisé à faire venir sa famille qu'à partir d'un salaire de mille dollars par mois. Quand la main-d'œuvre est pakistanaise, et donc musulmane, elle bénéficie d'un sort bien plus enviable à tout point de vue que quand elle ne l'est pas. Cela est vrai aussi bien en termes de droits et de salaire que de logement. Les employées de maison philippines, quant à elles, sont de véritables esclaves. Les ouvriers indiens aussi. Mais les immigrés sont néanmoins présents dans toutes les couches de la société, et le secteur privé est accaparé par les Indiens à tous les échelons. Un étranger reste toujours un étranger, la politique lui est absolument interdite, de même que la propriété foncière. Un homme d'affaires étranger ne peut posséder plus de 49 % des capitaux de son entreprise, les 51 % restants doivent obligatoirement être détenus par un natif.

La population de Dubaï, peut-être à l'exception d'une faible partie de l'élite, reste soudée et très fermée. La solution, pour nous immigrés de fraîche date, était donc le repli sur notre propre communauté. C'est ainsi que tout le monde vit dans les Émirats, dans une sorte de grande tour de Babel au calme peut-être trompeur.

Évidemment, je me suis vite sentie dépérir dans ce cadre trop doré pour moi, trop parfait en tout cas. Et j'ai adopté ma fidèle solution, l'activité. J'ai commencé à chercher du travail. Quelques semaines après notre arrivée, j'étais engagée à l'Alliance française, en tant qu'assistante bibliothécaire chargée de l'informatisation et de la réorganisation du fonds. Mon titre n'était pas très ronflant, mais le travail était absolument titanesque. J'avais l'impression d'échapper un peu à la claustrophobie ambiante en me mettant ainsi à l'ouvrage. Je n'ai jamais autant lu qu'à cette époque. Dans les sous-sols de la bibliothèque, je redécouvrais avec bonheur des ouvrages dévorés au temps de mon adolescence. Je retournais à ma passion des livres sans aucune culpabilité : cette fois, c'était mon métier, on ne m'accuserait pas d'être paresseuse... Je continuais ainsi mon apprentissage autodidacte, naviguant presque au hasard et savourant des chefs-d'œuvre.

Un peu plus tard, je faisais partie de l'encadrement sportif de l'école élémentaire française et mes journées étaient donc bien remplies, avec mes deux garçons et mes deux emplois. Peut-être aurais-je pu me faire à cette existence tranquille.

Mais, dans la chaleur caniculaire d'un après-midi, j'ai été tirée de ma torpeur par une bien triste nouvelle. C'est Didier qui me l'a annoncée. Il est venu me chercher à l'Alliance, m'a fait monter dans la voiture. Le soleil frappait fort sur la ville pourtant verte et fleurie. Il m'a dit que mon père, que j'avais envoyé en Allemagne pour qu'il y fasse soigner ses problèmes d'estomac, venait de sombrer dans le coma. Les médecins pensaient qu'il n'en avait plus pour longtemps. Il fallait que j'y aille, la famille réclamait ma présence.

Nous sommes repassés par la maison. J'étais en état de choc. J'ai préparé un petit sac, et Didier m'a conduite à l'aéroport. J'étais incapable de prendre la moindre décision. Didier a été formidable. Il n'y avait pas de vol direct pour Bonn, il a donc retenu une place pour Amsterdam et m'a réservé là-bas une voiture. L'avion partait quelques heures plus tard, nous avons attendu.

J'ai peu de souvenirs de ce voyage, accompli presque en transe. Sur les larges autoroutes hollandaises mouillées de pluie, je revoyais mon père et son maigre visage taillé en lame de couteau. Son regard si doux lorsqu'il le posait sur ses enfants, sur moi surtout, pour qui il avait toujours eu une tendresse particulière, peut-être parce que j'avais longtemps paru être celle sur qui il fallait fonder le moins d'espoir. Ses prises de position avaient toujours été originales et courageuses pour un homme de son milieu, un analphabète issu d'une tribu nomade rivée à la pauvreté. Son amour pour ma mère, la liberté religieuse dans laquelle il nous avait élevés, la liberté de choix que, dans une certaine mesure, il nous avait offerte, en faisaient un homme d'exception. Mon père avait passé sa vie entière à travailler pour un salaire de misère, pour élever ses dix enfants, sa seule fortune sur terre.

Je me suis garée devant l'hôpital. C'était un lundi soir. Dans la chambre, des tantes, certains de mes frères et sœurs et des cousins. Je n'ai salué personne, et ils sont tous sortis silencieusement. Mon père a ouvert les yeux, m'a souri et m'a appelée près de lui du surnom dont lui seul usait : Mouna. Il était épouvantablement amaigri. J'ai vu dans son regard que les médecins avaient dit vrai, il était mourant. Il a eu quelques heures de lucidité, mais il était trop affaibli pour parler. Quand j'ai quitté l'hôpital cette nuit-là, il avait sombré à nouveau dans le coma, et n'en est plus jamais ressorti. Il est mort le mercredi, le 30 décembre 1998.

Dehors, ma famille attendait. Nos relations étaient tendues, car plus ils dépendaient de moi et plus l'aigreur et les critiques se faisaient jour. J'ai eu l'impression que l'amour qui nous avait toujours unis, malgré la brutalité de nos rapports, était tué par l'argent. Ils me voyaient comme la poule aux œufs d'or, tout en me reprochant ce qu'ils considéraient comme ma réussite. J'étais accusée de tous les maux, par exemple d'avoir tenté de faire soigner mon père en Allemagne. Selon eux, le dépaysement, la fatigue du voyage, l'éloignement des siens, tout cela l'avait tué plus sûrement que sa maladie. J'étais trop abattue pour me défendre. Mais je pense sincèrement que s'il avait eu une chance de s'en sortir, seul cet excellent hôpital aurait pu la lui offrir.

Ce qui a tué mon père, je sais bien ce que c'est. Son dossier médical ne laisse planer aucun doute, aucun mystère. Et ma famille ferait bien d'admettre cette triste évidence. Mais ils préfèrent se voiler la face, ne pas se remettre en question, et ne rien changer surtout à leur mode de vie. Ce qui a tué mon père, c'est la misère et c'est le khat. Cette drogue dont tous les habitants de la Corne de l'Afrique s'abrutissent chaque jour a bousillé son estomac. Cette drogue, dont la distribution, monopole d'État, constitue l'un des plus grands scandales de mon pays, dans l'indifférence générale.

À l'ombre des boutiques de thé, dans la ville qui s'est immobilisée, les hommes de Djibouti refont le monde. C'est ici que se perdent les forces vives de ces pays, dans cette logorrhée qui jamais ne sera suivie d'actions, car si le khat rend bavard, il rend aussi paresseux. Ses effets coupe-faim sont également connus. Il permet d'oublier que l'on est en train de mourir de faim, tout simplement.

Que penser d'un gouvernement qui, non content d'encourager de telles pratiques, met tout en œuvre pour les satisfaire ? C'est un gouvernement qui abrutit volontairement son peuple, à l'aide d'une drogue dont la dépendance et les effets nocifs sont notables et indéniables. Le principal de ces effets est la dévastation de l'estomac. Et aujourd'hui, à l'heure même où j'écris ces lignes, c'est mon frère Mustapha qui vient de s'éteindre à son tour de la même maladie que mon père, laissant deux enfants de deux et quatre ans et une femme enceinte de son troisième, dont la charge revient donc aux autres membres de la famille, c'est-à-dire à moi. Depuis son départ en

Irak (il était le premier étudiant africain à bénéficier d'une bourse irakienne), nous nous étions éloignés. À l'heure de la première guerre d'Irak, il avait complètement disparu, ne donnant plus de nouvelles pendant des mois. Je n'ai aucune idée de ce qu'il tramait alors. Il avait ensuite ressurgi en Égypte, où il s'était installé comme entrepreneur. Un coup de fil m'avait éveillée au milieu de la nuit. Je n'avais aucune nouvelle de lui depuis plus d'un an, et il me parlait de sa voix joyeuse comme si nous nous étions vus la veille. Il voulait que je lui envoie *In Bed With Madonna* pour le commercialiser clandestinement en Égypte. Je ne sais pas si c'était une plaisanterie, ou un véritable projet, mais je me souviens d'avoir souhaité qu'il ne se mette pas dans des situations épouvantables. Mustapha, depuis l'époque où il vendait des babioles sur le terre-plein central de l'avenue 19, avait toujours montré un vrai talent pour se débrouiller dans l'existence et se sortir des histoires les plus embrouillées. Il était brillant, fantasque et drôle, mais j'avais toujours eu un peu peur pour lui. Il ne semblait jamais avoir une idée claire des dangers qu'il encourait. Je ne sais pas ce qu'a donné cette affaire de trafic de cassettes vidéo, considérées comme totalement pornographiques dans les pays musulmans, mais quelque temps après il avait suffisamment d'argent pour aller s'installer aux États-Unis. C'est là qu'il vivait depuis, à Colombus, avec sa jeune femme et ses enfants.

Devant cet intolérable gâchis, la colère me prend.

En tant qu'élue, je m'évertue à faire comprendre aux politiques de quel poids nous pouvons, et devons, peser pour faire cesser ce scandale. Les pactes que nous signons avec des pays comme Djibouti doivent s'accompagner de recommandations précises en ce sens. Nous n'avons pas le droit de fermer les yeux et d'accepter de cautionner des gouvernements qui empoisonnent leur peuple.

Je suis restée en Allemagne suffisamment longtemps pour organiser le rapatriement du corps de mon père à Djibouti, régler les formalités et les frais d'hospitalisation, et tenter d'apaiser ma famille. Puis j'ai repris l'avion pour Dubaï, où mon contrat à l'Alliance avait été prolongé, ce qui constituait une première, tant la personnalité de sa directrice était complexe. Mais j'avais su me ménager à la fois les amitiés de mes collègues et les siennes et mon travail donnait suffisamment satisfaction. Pourtant, le cœur n'y était plus.

Je n'ai presque aucune trace qui me reste de mon père : le certificat de mariage de mes parents, son contrat de travail, une vieille photo d'identité, son dossier médical. C'est tout. Mais j'ai essayé de mettre en pratique ce qu'il avait su m'enseigner. Mes deux garçons ont été élevés dans la foi musulmane, mais comme l'a fait mon père avec nous, quand ils atteindront l'âge de douze ans, je les laisserai libres de choisir leur religion et leur pratique. J'ai tenté de leur apprendre la tolérance. Ils parlent plusieurs langues, ils sont français mais ont aussi un pied en Afrique. Et lorsque je les emmène à Djibouti dans le quartier 3, lorsque je leur fais visiter dans le quartier militaire l'atelier où travailla durant vingt ans leur grand-père, je vois à leur air effaré mais à leur silence respectueux que j'ai un peu réussi. Je les ai protégés, peut-être trop, et la vie qu'ils mènent n'a rien de commun avec celle que j'ai vécue. L'idée que leur maman a toujours dormi par terre leur paraît surréaliste. Mais je crois qu'ils seront capables de s'adapter, s'il le faut.

Peu avant la fin de notre séjour à Dubaï, un pasteur anglais et sa femme avec qui nous avions sympathisé nous ont appris qu'ils hébergeaient depuis bien longtemps un Congolais sans titre de séjour. Ils allaient bientôt repartir pour l'Angleterre et ils nous ont demandé à mots couverts si nous serions d'accord pour nous charger de lui. C'est ainsi que nous avons rencontré Jean-Pierre. Cet homme formidable, universitaire, qui avait participé à la guerre, avait dû fuir son pays. Il s'était retrouvé à Dubaï au terme d'un voyage rocambolesque, et y était bloqué depuis maintenant près de trois ans. Didier et lui se sont tout de suite formidablement entendus. Je crois que Didier était heureux de trouver un Africain, son pays lui manquait de plus en plus. Dans nos discussions, ces derniers temps, je voyais se profiler un changement considérable, qui se creusait entre nous. Il voulait retourner vivre en Côte-d'Ivoire. Il allait avoir trente ans, il était temps pour lui de prendre sa retraite en tant que footballeur. Il essayait de me convaincre de vivre cette expérience à ses côtés. J'étais déchirée. Moi j'avais fait le choix, dans le secret de mon cœur, d'Auxerre. Je voulais bien sûr que mes fils connaissent l'Afrique, mais c'est en France que je souhaitais les élever. Et c'est Auxerre qui me manquait, pas Abidjan que pourtant j'aimais tant. Didier a quand même fini par me convaincre de tenter l'aventure. Je l'ai averti que si je ne me sentais pas heureuse là-bas, je rentrerais en France. Il a fait mine d'accepter, certain que je me fondrais dans la douceur de vivre ivoirienne. Nous avons commencé nos préparatifs de départ.

À l'aéroport, les douaniers ont évidemment arrêté Jean-Pierre. Nous pensions que le problème pouvait se poser s'il voulait rester, mais pas s'il voulait sortir. Nous avions tort. Dubaï prévoit une peine très précise, et très sévère, pour les clandestins. Cent dirhams ou un jour de prison par jour de présence illicite sur le territoire des Émirats. Jean-Pierre était là depuis trois ans. Et il n'avait pas un sou.

Nous avons négocié des heures avec les douaniers. Didier a finalement payé une amende réduite de moitié, c'est-à-dire un an et demi de présence. Nous avons pu monter dans l'avion, Jean-Pierre sanglotant de soulagement et de gratitude. Mes deux garçons étaient émus car ils aimaient beaucoup notre ami, Didier aussi était troublé.

C'est avec soulagement que nous avons quitté Dubaï.

Tout près d'Abidjan, Didier a acheté une plantation d'hévéas et de palmiers et y a installé toute sa famille. Didier vient d'un milieu extrêmement pauvre. Il fait vivre les siens depuis qu'à l'âge de douze ans il a été repéré par Guy Roux et installé dans un centre de formation où il touchait un petit salaire. Il n'a pas été élevé par son père mais par sa tante et un oncle maternel. Il n'en parle jamais, mais la misère, la galère, la solitude, une enfance entière gâchée, voilà ce qu'il avait longtemps connu.

Didier a nommé Jean-Pierre régisseur de la plantation. La plantation a fructifié. De mon côté, avec une amie que j'avais rencontrée à l'université et un peu d'argent prêté par Didier – que nous avons rapidement pu lui rembourser –, j'ai monté une agence immobilière. Elle a très vite fonctionné à plein régime, la Côte-d'Ivoire connaissait un boom économique, et le tourisme se développait.

Malheureusement, entre Didier et moi, les choses ont commencé à s'envenimer. Sa conversion à l'islam, l'influence de certains de ses amis qui semblaient penser que la place d'une femme était à la maison auprès de ses enfants et non au travail ont commencé à peser. Il m'a reproché mon indépendance, mon autonomie financière. La belle-famille s'en est mêlée. Très vite, malgré notre amour qui n'était pas mort, j'ai su que nous allions nous séparer. À l'automne 1999, je suis retournée seule avec les enfants en France. Nous avons débarqué à Auxerre. Didier m'avait dit que j'aurais désormais à me débrouiller sans son aide. C'était un chantage monnayé auquel je n'ai pas voulu céder. À Auxerre, j'ai réussi à louer un appartement sans apporter la moindre garantie de solvabilité, ce dont je suis encore reconnaissante à mon propriétaire de l'époque. J'ai réinscrit les enfants à l'école et cherché d'urgence un travail. Le rectorat de Dijon m'a engagée comme professeur d'EPS, et j'ai senti un poids se soulever de ma poitrine lorsque j'ai signé mon contrat. J'étais indépendante.

C'est avec un sentiment d'ivresse brutale que j'ai alors contemplé la ville. J'avais retrouvé Auxerre et la France, mon métier, mes amis. Je battais le pavé de la petite cité et retrouvais peu à peu mes marques, quelques habitudes. Mais tout restait à inventer. Car ce que je découvrais, c'était la liberté. Pour la première fois, à l'âge de trente ans, j'étais absolument libre. Mon temps, mon argent, mes décisions n'appartenaient qu'à moi. Je n'avais à m'en remettre à personne, je n'avais à me justifier de rien. Chaque matin, lorsque je m'éveillais, la journée me paraissait comme une page vierge, qui n'était qu'à moi. Je pouvais y inscrire ma volonté. J'étais grisée.

Partout à Auxerre, j'étais pourtant encore considérée comme la femme du footballeur Otokoré. J'ai repris contact avec Sylvette et avec l'association que je n'avais pas pu aider correctement depuis mon départ, mais j'ai très vite eu le désir de faire plus. C'est Sylvette qui m'a soufflé l'idée. Elle avait sa carte du PS depuis de longues années et l'idée a fait son chemin. En décembre, je me suis rendue au bureau du premier fédéral. J'ai été reçue chaleureusement. J'étais un peu intimidée de mon geste, j'avais l'impression de faire quelque chose de très important. Après quelques minutes de discussion, j'ai inspiré un grand coup comme avant de plonger et j'ai pris ma carte.

Quatrième partie

Ma vie au PS

« On est socialiste à partir du moment où l'on a senti que le soi-disant ordre des choses était en contradiction avec la volonté de justice, d'égalité, de solidarité qui vit en nous. »

Léon BLUM

1

Débuts en politique

Je garde de ma première réunion de section un souvenir cauchemardesque.

Je m'étais préparée de longue date. Ma carte du PS flambant neuve était soigneusement rangée dans mon portefeuille. Je m'étais fait expliquer par Sylvette comment fonctionnait la section, qui assistait aux réunions, comment elles se déroulaient. J'avais une véritable soif de politique. Depuis des années, je la contenais tant bien que mal pour obéir à la prière de Didier qui avait souhaité que je ne milite pour aucun parti tant qu'il aurait une carrière à mener. Je comprenais ses craintes et je m'y étais pliée, j'avais scrupuleusement respecté le marché. Pour contenir mon désir croissant, j'avais mon association, et toutes ces réunions informelles que j'organisais sans cesse à la maison. Je lançais des invitations à dîner, je cuisinais pour un régiment des recettes africaines puis je mettais en présence des amis footballeurs comme Rabarivani, Guerrero, François Darras, le kiné de l'AJA, et sa femme, mes amis syndicalistes, Sylvette, mes copines mères de famille, des membres de l'association... et je lançais des débats. Je savourais un immense plaisir dans ces discussions, mais elles ne me comblaient pourtant plus.

À présent que Didier retournait vivre en Côte-d'Ivoire et qu'il planifiait d'y poursuivre sa vie, j'étais libre.

La rencontre avait lieu le soir, évidemment, à une heure impossible et j'avais donc dû faire venir une baby-sitter pour garder N'Ry et Kévin, encore trop petits pour rester seuls à la maison. Quand je suis entrée dans la petite salle déjà assez enfumée, je me suis sentie terriblement intimidée, mais aussi tendue, avide. Je m'étais habillée comme pour un événement important, et je me souviens des quelques regards un peu interloqués qui ont accompagné mon arrivée.

Puis la réunion a commencé.

Je crois qu'il n'existe rien au monde de plus rébarbatif pour un novice, de plus décourageant, de plus affligeant, même, qu'une réunion de section. Je ne comprenais rien, pas un traître mot, à ce qui se passait. J'avais l'impression d'assister à l'énième reprise d'une violente querelle familiale. Il y avait une trentaine de militants présents, les sujets débattus semblaient l'avoir déjà été cent fois et plus personne ne se donnait la peine de commencer par le commencement. Les sigles suivaient les abréviations, tout le monde se coupait sans cesse la parole, ou au contraire la monopolisait pendant des vingtaines de minutes sans provoquer plus de clarté... Dans ma très grande naïveté, j'avais pensé qu'on me présenterait à ceux que je considérais déjà comme mes camarades, qu'on me demanderait de faire partager mon expérience de ce qu'était la vie dans un pays sans démocratie, par exemple. J'avais préparé un petit discours, sur l'engagement politique tel que je l'avais connu et pratiqué en Afrique de l'Ouest, au moment même de l'émergence du multipartisme et de l'ouverture, timide, de la vie politique. J'avais en tête des phrases vibrantes sur les yeux de l'Afrique posés sur les moindres faits et gestes des socialistes français. Je voulais parler idées, internationale socialiste, je voulais parler engagement et changement social... et j'étais reléguée au fond d'une salle, simple spectatrice d'une manifestation qui se jouait à usage des seuls initiés. Je sentais monter ma frustration, et ma colère, tandis que les orateurs se succédaient, égrenant des prénoms inconnus de moi et des détails techniques obscurs, lançant des piques privées, et s'engueulant copieusement. Et moi je pensais aux discours qui m'avaient fait choisir le socialisme, à Léon Blum, Jean Jaurès, N'Kruma et à Léopold Sédar Senghor, et j'avais envie de me lever et de rentrer chez moi. De temps en temps, je regardais ma montre. L'heure tournait, cette soirée allait me coûter des fortunes.

Le seul moment amusant de cette éprouvante réunion fut l'intervention de Jacques Favier. Ce vieux militant, qui avait plus de quatre-vingts ans et qui est malheureusement décédé aujourd'hui, a pris la parole en disant : « Écoutez-moi car c'est sans doute la dernière fois. » J'ai appris plus tard qu'il commençait ainsi toutes ses interventions, depuis des années déjà. Il a défendu vigoureusement la parité. Puis il a fait le tour de tous les militants et a chuchoté quelque chose à chacun avant de s'en aller. Quand il est arrivé à moi, j'ai tendu l'oreille avec curiosité, et j'ai entendu : « Je m'en vais parce que j'ai mal au cul, mais ne le dites à personne... »

Le reste de la réunion s'est poursuivi dans l'agressivité et le désordre. Quand ça s'est enfin terminé, j'ai laissé exploser ma colère devant Sylvette. Je lui ai dit que je ne remettrais jamais les pieds à la fédération, et j'ai bien failli tenir parole.

Ce n'est qu'à la fin du mois d'octobre 2000 que j'ai eu l'occasion de revenir sur ma décision, après un coup de fil assez inattendu. Le représentant départemental du Parti socialiste me téléphone un soir à la maison. Il se présente et me demande si je suis d'accord pour les rencontrer, lui et Guy Férez, la tête de liste PS pour les municipales. D'abord un peu étonnée, j'accepte rapidement, poussée surtout par la curiosité. La date du rendez-vous est fixée et, le jour dit, je me rends à la section, rue Cochoix, où les deux hommes m'attendent. C'est un homme assez réservé, que certains trouvent même distant. Mais il me tutoie tout de suite, je le trouve amical et sympathique, très simple. Le courant passe bien entre nous, je sens qu'il n'en fait pas trop. De but en blanc, il me fait sa proposition : il veut savoir si j'accepte de faire partie de la liste PS pour les municipales.

Si j'étais surprise, je n'étais pourtant pas dupe des motivations réelles de sa demande. La parité, appliquée pour la première fois lors de ces élections, supposait que le parti fasse place aux femmes sur ses listes. Mon nom, ensuite, Otokoré, qui à Auxerre est relativement fameux. Et la couleur de ma peau. J'avais bien vu, lors de ma seule incursion en terre de réunion de section, que si je n'étais pas la seule personne d'origine étrangère parmi les militants, j'étais en revanche la seule qui soit à la fois femme et noire. À l'heure de la parité, des grandes déclarations d'intentions sur la mixité, de l'ouverture du parti à de nouvelles générations politiques, j'avais tout à fait mon utilité. Je n'avais pas fait mes preuves, et je m'amusais en pensant que j'avais peut-être la chance de participer à une campagne électorale, pour la simple raison que j'étais toutes les minorités à moi seule : femme, noire, musulmane... Je me surnommai intérieurement, en riant, la Marianne des minorités...

J'acceptai tout de suite. J'étais d'accord pour prêter mon nom et mon visage pour la photo de groupe. Je croyais dans les valeurs défendues par le PS et la déception ressentie à la réunion n'était pas assez forte pour me faire changer d'avis. Auxerre était à droite depuis des dizaines d'années, je pensais que si je pouvais faire quelque chose, quoi que ce soit, pour que ça change, il fallait le faire.

Ils ont ajouté mon nom tout en bas de la liste. Nous avons encore échangé quelques banalités, nous sommes serré la main, et je suis repartie. L'histoire aurait pu s'arrêter là.

Le coup d'envoi de la campagne n'aura lieu officiellement qu'en janvier, mais dès l'automne les militants s'activent, les dernières négociations ont lieu, la section fourmille d'activité. De mon côté, je continue de donner des cours de sport dans mon lycée, de m'occuper de mes enfants, ma vie est bien calée sur ses rails et je n'imagine plus que cela puisse changer. Mais, rapidement, la tête de liste doit se rendre à l'évidence. Il faut plus qu'un nom à consonance exotique tout en bas d'une liste pour convaincre les Français d'origine étrangère que le PS est bien le parti qui les représentera le mieux. Pour certains meetings organisés dans les quartiers, ou devant des publics féminins et africains ou maghrébins, il souhaiterait ma présence à ses côtés. Les gens lui demandent qui est Mme Otokoré, ils veulent me rencontrer. On me demande de m'investir davantage.

Je refuse. Je n'ai pas hésité. Le non est sorti tout seul, les arguments ont suivi. Non, je ne veux pas m'investir, et me retrouver dans la situation de promettre des choses que je n'aurais aucune chance de mettre en œuvre moi-même, puisque tout en bas de la liste, même en cas de victoire du PS, je n'ai aucune chance d'être élue. La tête de liste m'a donné un nouveau rendez-vous, et je m'y suis rendue accompagnée de Souleymane Koné. Cet homme, Auxerrois d'origine malienne, est le représentant officieux de la communauté noire. J'avais besoin de lui à mes côtés, à la fois comme soutien psychologique, et surtout comme témoin de la discussion qui allait avoir lieu. J'avais passé une nuit torturée à retravailler mes arguments et à tester mes motivations. Je savais que puisque je n'avais pas eu à faire mes preuves avant, j'aurais à me battre plus que les autres après coup. Mais je n'avais pas peur. J'étais prête. Et comme chaque fois qu'on prend une décision qui va modifier le cours de sa vie, je ressentais un mélange d'enthousiasme et de sérénité. J'étais sûre de moi.

J'ai plaidé ma cause. D'abord, j'ai justifié mon refus. Ce n'est ni paresse, ni égoïsme, ni ambition personnelle démesurée. Simplement, je ne veux pas me battre pour n'être que l'alibi d'un parti. Ma position est simple, elle est claire, je ne reviendrai pas dessus. En revanche, oui, mille fois oui, je suis prête à m'investir, si j'ai une chance de gagner, je suis prête à donner ma parole, si l'on me donne une possibilité de la tenir. Et je peux servir. J'ai l'habitude de me battre. J'ai fait mes armes en montant de toutes pièces une association, et si j'ai moins l'habitude du combat militant que certains inscrits depuis plus longtemps, j'ai l'avantage de n'être pas usée. Je sais aller au contact des autres. Par le sport et surtout par le foot, je connais un nombre impressionnant d'Auxerrois, sans barrière sociale. Le foot est un sport très fédérateur, je suis à l'aise dans la notabilité comme je suis à l'aise dans les quartiers. C'est un avantage incontestable dans une campagne locale.

Je ne me fais pas d'illusions, c'est une lourde bataille qui s'engage. Je suis prête à la mener, mais, en échange, je veux une place éligible même en cas d'échec. À cette condition seulement, je donnerai tout.

Pendant tout mon discours, il m'écoute attentivement, il me pose quelques questions sur mon parcours, il réfléchit. Je sens qu'il se laisse convaincre. Moi, je parle, je parle, je le saoule de paroles. Alors il me propose la chose suivante. Il ne peut pas me mettre dans les six premiers de la liste, les places ont toutes été distribuées et négociées chèrement avec les partenaires. En revanche, il peut me placer comme septième ou huitième, et il me promet, en cas de succès de la liste PS, une place d'adjointe au maire. J'ai ainsi la garantie, en cas de victoire, d'avoir les moyens de mettre en œuvre mes promesses de campagne. En cas d'échec, je n'aurai rien. Mais c'est un marché qui me semble honnête.

La démarche de cet homme m'a convaincue. Il a su m'écouter et faire évoluer son opinion à mon sujet. Je sais qu'il prend des risques, et cela me convainc de sa bonne foi. Aux raisons pour lesquelles il voulait m'utiliser dans sa campagne (mon sexe et ma couleur de peau, mon nom), il a été capable d'ajouter mon travail et mon talent. Si nous gagnons, je deviendrai la première adjointe au maire noire d'Auxerre. Je me sens prête. Il a confiance en moi, je le devine, mais il lui a fallu du courage pour m'imposer ainsi et je l'en remercie encore aujourd'hui.

Dans les communautés maghrébine et noire, il y a une vraie méfiance vis-à-vis de la politique et des politiques. Dès que nous sommes entrés en campagne et même avant, en en parlant autour de moi avec des amis, j'ai pu m'en rendre compte. Tout le monde me disait que j'allais me faire avoir, que je n'aurais rien, que j'allais me battre pendant toute la campagne pour me faire finalement éjecter. Le risque existait, ce sont des choses que l'on a vues ailleurs, dans d'autres communes, et qui sont très regrettables. Mais je savais que cela n'arriverait pas. J'avais confiance. J'avais hâte qu'on gagne, vraiment, si ce n'était que pour cela : pouvoir prouver que non, un Noir ou un Arabe, en politique aujourd'hui, ce n'est pas forcément uniquement un faire-valoir ou un alibi. Un élu noir ou arabe peut compter pour de bon et influer sur la vie de son pays.

J'ai commencé à m'investir. Pendant une campagne, on n'est évidemment pas rémunéré. C'est pourtant un travail de titan. L'organisation, pour une mère de jeunes enfants en particulier, est quasi impossible. Il y a des hommes politiques qui n'ont que cela à faire dans la vie, de la politique, et je dois dire qu'ils ont bien de la chance. C'était loin d'être mon cas à l'époque. En plus de mes garçons, j'avais ma famille djiboutienne plus ou moins à charge, dépendant de mon salaire de professeur d'EPS qui n'était donc pas tout à fait suffisant. Didier n'était pas en France, j'étais seule avec mes fils, et je sais que je ne m'en serais jamais sortie si ma petite sœur Nadjahia n'était pas venue s'installer chez moi. Elle venait d'épouser un jeune militaire qui tournait à travers toute la France, changeant d'affectation tous les quatre mois. Ils avaient acheté une maisonnette mais elle y était seule le plus souvent ; elle a donc logé chez moi et loué sa maison. Cela permettait à ce tout jeune couple de faire quelques économies. En échange, elle s'occupait de mes fils lorsqu'ils rentraient de l'école et j'étais rassurée de ne pas les savoir seuls à la maison. Après bien des discussions, je l'ai convaincue de s'inscrire dans un cours d'alphabétisation. Elle n'était allée à l'école que jusqu'au CM2, d'une manière assez chaotique en raison de ses problèmes de santé, elle ne savait quasiment ni lire ni écrire. Pour une jeune fille si intelligente, aujourd'hui en France, c'était un trop gros gâchis. De plus, je ne voulais pas qu'elle dépende uniquement de son mari, aussi gentil soit-il. Je savais trop ce qu'il pouvait en coûter.

À la section, nous nous étions divisé la ville en quartiers entre les membres actifs de la liste. J'avais le quartier de la rue Gérot où j'habitais, en plein centre-ville. Et j'avais la ZUP Sainte-Geneviève.

Mon histoire d'amour avec Sainte-Geneviève remonte à mon arrivée à Auxerre. Encore complètement marquée par les dictats architecturaux en vigueur à Djibouti, j'avais traversé, lorsque Didier m'avait ramenée en ville pour la première fois, la zone HLM de Sainte-Geneviève en la trouvant magnifique. Ces grandes barres d'immeubles ressemblaient à ce qu'étaient à Djibouti les immeubles du bord de mer, c'est-à-dire les logements des coopérants, des riches, des Blancs. Un immeuble moderne me paraissait être le comble du luxe. En revanche, en arrivant dans le centre d'Auxerre et en découvrant la vieille et jolie maison classée qu'habitait alors Didier, j'avais été un peu horrifiée. Je trouvais cela très vilain. Le magnifique centre historique d'Auxerre m'avait tout l'air d'un champ de ruines.

Après quelques années, mon goût et mes références architecturales avaient tout de même beaucoup évolué. J'avais appris à aimer le centre d'Auxerre, son charme d'autrefois, les colombages, les toits de tuiles, les rues pavées. Aussitôt arrivés à la mairie nous avons d'ailleurs entrepris une grande politique de rénovation de ce quartier, qui mérite d'être protégé et sauvé des outrages du temps. Mais j'avais gardé au fond de mon cœur une vraie tendresse pour le quartier Sainte-Geneviève. J'étais donc ravie de la répartition.

La campagne a duré trois mois. Nous étions les outsiders, assez novices en politique pour la majorité d'entre nous. Mais nous nous sommes bien battus. Je partais tous les matins pour donner mes cours d'EPS. Cela me prenait vingt heures par semaine. Sur le chemin je déposais mes garçons à l'école. Le reste du temps, tout le reste, je le consacrais à la campagne. Je me promenais dans les rues, distribuant un texte que nous avions écrit, avec ma photo. Je faisais du porte-à-porte, je hantais les marchés, j'abordais les gens dans la rue. Je n'ai jamais été timide, j'ai le contact facile, cela ne me faisait pas peur. Petit à petit, je me familiarisais avec les questions qui revenaient le plus souvent, je découvrais les préoccupations récurrentes des habitants : l'emploi, le logement, les transports. Et surtout, ce dont on me faisait part tout particulièrement, les problèmes de discrimination, à l'embauche principalement. C'était épuisant, mais magnifique. Je travaillais beaucoup, j'apprenais de mieux en mieux comment répondre, je révisais parfois nos propositions. Pendant trois mois, nous avons ainsi établi un contact étroit et très précieux avec les habitants. Ce lien formidable, il est trop facile de le perdre une fois qu'on est élu. Tout le temps est alors consacré à une interminable ronde de réunions, et il n'en reste guère pour battre le pavé et aller au-devant des autres. Toute l'énergie est engloutie dans des discussions harassantes portant souvent sur des détails très techniques, et l'on se coupe ainsi de sa base. C'est dans les rues d'Auxerre que je me suis fait le serment, si j'étais élue un jour, de mettre en place une permanence hebdomadaire dans les quartiers. Ce lien que j'étais en train de tisser, que je sentais exister, même s'il était encore fragile, il était trop précieux pour que j'accepte de le perdre.

Partout, j'entendais des gens sur le point de se dérider me dire : « Vous êtes là aujourd'hui, mais une fois à la mairie, on n'entendra plus parler de vous jusqu'aux prochaines élections. On vous verra arriver trois mois avant, tout sourires. Mais entre les deux, il n'y a plus personne. » Je voulais prouver que c'était faux.

Un autre discours récurrent que m'a fait découvrir cette campagne, c'est celui du milieu associatif, dont j'étais pourtant issue. J'avais cru qu'il n'y avait que peu de différence entre l'engagement associatif et l'engagement politique. Je concevais la pratique politique comme le simple prolongement naturel de mes convictions militantes. J'étais loin du compte. Maintenant que j'étais passée de l'autre côté de la barrière, je réalisais à quel point le nombre de choses à prendre en considération par un politique était incroyablement plus large et plus complexe que ce que se représentaient généralement les membres d'associations. Lorsque je rencontrais des bénévoles, je me heurtais souvent à une vraie méfiance, à un « tous pourris » qui me blessait et contre lequel je me révoltais. Je me sentais écartelée, mais je gagnais en lucidité. Pour autant, j'ai tenté de maintenir ma vision de la politique comme la possibilité de concrétiser mes idéaux.

Tous les soirs, à 18 heures, nous nous retrouvions à la section avec tous les membres de l'équipe pour une réunion publique à laquelle assistaient tous ceux qui participaient, de près ou de loin. Nous faisions le point sur la journée, nous nous faisions part des réactions rencontrées dans les quartiers des uns et des autres, nous étudiions des propositions émergentes. Un petit pot suivait. Ensuite, vers 23 heures, une dizaine d'entre nous se rendaient au restaurant pour dîner, enfin. C'était toujours les mêmes, cela resserrait nos liens. Ce sont des souvenirs formidables. Nous étions épuisés mais heureux, toujours tendus, les réserves avaient sauté entre nous, nous étions extraordinairement soudés et motivés. Le week-end, j'emmenais mes enfants avec moi, à la section et sur les marchés, car je n'avais personne pour les garder. Je peux dire qu'ils ont grandi au PS.

Pendant cette campagne je m'étais rapprochée de l'autre Française d'origine étrangère à figurer sur la liste, Nadia Akil. Mais d'une certaine façon, et aussi triste que ce soit, je savais que nous serions séparées en cas de victoire, car il n'y avait qu'une place pour deux. C'était désolant, mais nous n'arrivions pas encore à voir les choses autrement. Elle ne convoitait pas simplement une place, ou celle d'un homme ou même d'une autre femme. Non, la seule possible, à ses yeux, aux miens, et aux yeux de tous, c'était la mienne, la place de l'autre Française d'origine étrangère. Il fallait que nous soyons en concurrence toutes les deux, au lieu de nous soutenir. J'avais tenté d'anticiper ce problème en discutant, longtemps avant la fin de la campagne, avec elle et avec Sylvette, mais sans y parvenir tout à fait.

Aujourd'hui, nous nous sommes heureusement retrouvées, après quelques semaines d'éloignement.

Le soir des résultats du deuxième tour, le 28 mars, nous nous sommes rassemblés dans la salle Vaulabelle. Je n'y croyais pas du tout. Auxerre, c'était la ville de Soisson, et ça le resterait forcément. Je me sentais éreintée, la fatigue accumulée menaçait de me rattraper. Pourtant, j'étais soulevée d'espoir. Ces trois mois de campagne m'avaient réconciliée avec le PS, et j'avais envie que nous fassions de grandes choses. La campagne, c'était tout ce que j'aimais. Concret, solide, personnel, et plein d'idéaux. Je voulais qu'on ait une chance de rendre tout cela réel, possible. D'ailleurs, notre slogan c'était : *une ville du possible.* Je le trouvais beau et parlant. La liste était constituée pour les trois quarts par des nouveaux, très naïfs, pas encore abîmés par l'appareil. Et je revendique cette naïveté, justement.

Quand on a su qu'on avait gagné, je crois que c'était 81, en plus petit seulement...

2

Élue locale

La mairie, c'est le cœur de la ville. Avec la décentralisation et l'augmentation des attributions des communes, plus que jamais c'est là que bat la vie de la cité.

Nous sommes arrivés tous ensemble en bas des marches de la vieille mairie, j'ai observé un arrêt devant la plaque où étaient gravés le nom des anciens maires, des personnalités qui avaient marqué le sort d'Auxerre, et je me suis souvenue du jour, il y a quelques années seulement mais des millénaires à mes yeux, où Jean-Pierre Soisson nous avait reçus, Didier et moi, dans son vaste bureau. Une simple visite protocolaire, le maire recevait un joueur du club et sa jeune femme, mais cela s'était passé en grande pompe, avec une certaine théâtralité qu'affectionnait Soisson et qui m'avait impressionnée. Aujourd'hui, je grimpais les marches à nouveau, mais dans un tout nouveau rôle.

La salle du conseil municipal était ouverte, nous y sommes entrés en silence. Nous allions siéger pour la première fois. Le maire sortant, Jean Garnot, a procédé à l'installation de la nouvelle équipe, nous plaçant par ordre alphabétique. La fenêtre était ouverte malgré le froid, tant la salle était comble. La séance était publique. Nous avons ensuite procédé au vote solennel. Le nom du maire d'abord, puis un à un celui de chaque adjoint était proposé et voté. Le mien comme les autres. Cette fois, j'étais élue. Le photographe de la presse locale, à grand renfort de flashes, immortalisait l'instant. J'avais chaussé mes lunettes et je refoulais des larmes de joie.

Passé l'ivresse du succès, j'ai travaillé dur. Je voulais comprendre de quoi il retournait. J'avais beaucoup d'ambition, mais aussi beaucoup de lacunes à rattraper. J'avais tout à apprendre en politique. Le représentant départemental du parti m'a aidée, il m'a formée et informée, je lui dois beaucoup.

Après l'installation, nous nous sommes rassemblés autour du maire pour nous répartir les sièges. Les conseillers municipaux doivent être représentés dans tous les conseils des organismes financés pour tout ou partie par la ville. Tous ces organismes sont recensés par ordre alphabétique dans un gros volume. Évidemment, ils ne sont pas d'importance égale, et la participation de la ville n'y est pas non plus équivalente. Cela va du conseil d'administration de la ville à la plus petite école communale, en passant par les commissions HLM... Nous avons ouvert à la première page et nous avons commencé la répartition. Dans notre équipe composée de novices, les mains étaient nombreuses à se lever, pour chaque siège. Dans une véritable boulimie, les tout nouveaux conseillers municipaux voulaient siéger partout. Moi, je me tenais sur la réserve. J'avais bien révisé ma leçon, je savais exactement ce qui m'intéressait, les conseils non forcément les plus prestigieux, mais ceux où je pensais pouvoir peser, faire profiter de mon expérience un peu à part.

La communauté des communes m'intéressait à plus d'un titre. Le nombre de toutes petites communes rurales était particulièrement élevé en Bourgogne, et la loi sur l'intercommunalité me paraissait optimiste et riche de possibilités, car elle encourageait le regroupement de toutes ces petites bourgades éclatées. La mise en commun des savoir-faire, la possibilité de partager les coûts de certaines infrastructures, de créer, enfin, une dynamique à une échelle plus large que celle de la ville d'Auxerre seule me paraissaient un défi excitant à relever. Les enjeux de la communauté des communes étaient réels et passionnants.

Je me souviens de la première fois que j'y ai siégé. Nous n'étions pas passés à la communauté d'agglomérations, contrairement à notre souhait, et n'étions donc pas en majorité. Nous étions douze représentants à nous réunir. Jean-Pierre Soisson, ancien et président sortant, légendaire dans la région, était présent, ce qui m'intimidait un peu. Cet homme, qu'à mon avis nul au monde ne pourrait accuser de racisme, quels qu'aient pu être parfois ses choix politiques, n'avait pourtant pas eu le courage de faire ce que nous venions de réaliser, c'est-à-dire placer une femme noire, musulmane et aussi jeune, à un poste aussi stratégique. Je me sentais toute pénétrée de la gravité du moment, du moins à mes yeux. La réunion s'est bien déroulée, j'étais accueillie avec sympathie et respect, jusqu'au moment du repas. Bourgogne oblige, les services avaient préparé un délicieux déjeuner à base de charcuterie, et une excellente dégustation de petit vin de la région... Autant dire qu'il n'y avait rien, si ce n'est le pain et l'eau du robinet, qui puisse me convenir. Ma pratique de l'islam ne regarde que moi, et je n'aime pas l'agiter sur la scène publique. Néanmoins, il est des préceptes que je respecte scrupuleusement depuis toujours, et l'interdit de la viande de porc et de l'alcool en fait partie. J'ai donc pris la parole. Je ne voulais pas être provocante ni agressive, mais j'ai exposé mon cas... Je serais sensible si à l'avenir on pouvait prévoir un plateau repas à mon intention. Je voulais qu'on sache qu'il fallait compter avec moi et j'étais curieuse de la réaction de la salle, et de celle des services. Toutes ont été parfaites. Je n'ai plus jamais été oubliée, et personne n'a semblé penser que je faisais montre d'exigences inacceptables. Depuis, après chaque réunion, je mange mes pâtes et mes légumes pendant qu'eux dégustent leur saucisson et leur vin rouge, et ce sont d'agréables repas. Quand je ne peux pas rester au déjeuner parce qu'une autre réunion m'attend, je me fais passer un savon par les services, et je dois repartir avec mon plateau repas sous le bras...

La distribution des sièges continuait, et j'ai pris l'office HLM, le foyer des jeunes travailleurs, le comité de pilotage du contrat de ville. Je sais aujourd'hui que les choses ne se passent pas dans toutes les municipalités aussi bien qu'à Auxerre. Le maire peut se montrer autoritaire dans la répartition des postes, orienter les nouveaux et les élus alibis, comme je les appelle, vers les sièges les moins importants. Chez nous, le maire a tranché chaque désaccord dans la répartition des délégations avec un souci d'équité et de logique qui n'a pu désappointer personne. À la fin de la réunion, je crois que nul d'entre nous ne pouvait se sentir frustré.

Le travail municipal a commencé véritablement à partir de là. De mars à septembre, j'ai été une machine d'enregistrement, je m'imbibais comme une éponge. J'avais déjà progressé pendant la campagne, mais je n'en savais pas encore assez, loin de là. Les réunions me terrifiaient parfois, je n'y comprenais rien, les budgets sur lesquels on me demandait de me prononcer portaient sur des sommes qui me paraissaient hallucinantes, je me sentais complètement perdue. J'ai travaillé dur, il m'a fallu près de cinq mois pour avoir l'impression de sortir enfin la tête hors de l'eau. Car même pour poser des questions, il faut être capable d'avoir une vue d'ensemble sur un sujet, il faut le maîtriser un minimum pour savoir que demander. Quant à peser sur une décision, c'est assurément le stade au-dessus. Mais je me suis accrochée, et j'y suis arrivée. Car je ne voulais pas être une élue médiocre, comme il y en a tant, qui se laisse végéter en se contentant de surnager un peu. J'avais l'ambition de tenir mes promesses, d'influer sur le destin de cette ville que j'avais choisie un jour, il y a des années, et qui m'avait rendu mon affection. Je prenais ma tâche très au sérieux. J'avais un tel retard, même par rapport aux nouveaux comme moi, du moins est-ce ainsi que je le ressentais, que je travaillais d'arrache-pied. J'avais parfois le sentiment de courir derrière quelque chose que je n'atteindrais jamais, de tout tenter pour rattraper les carences dues à mon enfance. Il m'arrive de me demander quelle personne j'aurais été si j'avais été élevée dans du coton, si les choses m'avaient été offertes, si je n'avais pas dû tant me battre pour tout. Et lorsque je me pose cette question, je regarde mes enfants, à qui j'ai pu avec leur père offrir une existence heureuse et stable, du confort et de la sécurité, et je me demande qui ils seront, eux. Sauront-ils trouver l'énergie pour vaincre les épreuves que la vie ne manquera pas de leur apporter, quoi que j'y puisse? Car je reconnais au moins cela à mon enfance : elle m'a donné l'énergie et la débrouillardise, la faim d'y arriver. C'est mon moteur, je vis là-dessus, au jour le jour.

Les deux premiers articles de presse me mentionnant, après notre victoire aux municipales, mettaient si clairement en doute mes capacités à diriger efficacement que cela renforça mon sentiment – dont je ne me débarrasse jamais tout à fait –, de devoir faire mes preuves. J'étais présentée comme une ravissante idiote, une femme de footeux sans compétences réelles. Les a priori du petit monde informé d'Auxerre s'exposaient au grand jour, très négatifs, un peu railleurs. J'ai pris conscience du chemin qu'il me restait à parcourir pour établir ma légitimité, et pour me construire une image crédible. Mais ce fut une remise en cause douloureuse, bien que sans surprise.

Parmi les choses que j'ai apprises ainsi, en me débattant, après mon arrivée à la mairie, la suivante est peut-être la plus importante : je n'arrive jamais à une réunion sans avoir travaillé le sujet, sans savoir exactement ce qui se cache derrière l'ordre du jour. Comme autrefois je ne sortais jamais de classe sans être assurée d'avoir tout compris, d'avoir toutes les clés en main... Je m'étais vu attribuer, au sein de la vieille et jolie mairie, un tout petit bureau sous les combles, qui avait autrefois servi de cagibi, mais qui disposait d'une fenêtre ouvrant sur la place. Je l'avais fait débarrasser, on y avait donné un coup de pinceau, j'y avais fait installer mon bureau, mon ordinateur. Au mur, un texte du chanteur Damien Saez écrit en hommage au commandant Massoud est encadré. D'un côté de la pièce, un meuble recouvert des dossiers en cours. Et puis la fenêtre par laquelle je voyais tout ce qui se passait, la terrasse des cafés, mes amis déambuler, les commerçants lever parfois la tête pour me saluer... Chaque fois que je sortais le nez de mes dossiers, cette vue me rassurait et me convainquait que j'étais sur la bonne voie, que tous ces efforts en valaient la peine. Auxerre est une ville formidable, où il fait bon vivre, et j'étais heureuse de travailler pour elle.

À la mairie d'Auxerre, je découvre la lenteur de la vie politique, que je ne soupçonnais pas. Pour qu'un projet voie le jour, il est d'abord soigneusement travaillé au sein du service compétent. Ensuite, il est porté devant la municipalité, c'est-à-dire le maire et ses douze adjoints (nous sommes six femmes et six hommes, cette parité stricte de l'exécutif étant la volonté du maire lui-même). La réunion a lieu le lundi soir. À cette occasion, il est éventuellement amendé, puis voté. Il est alors présenté à la commission des travaux. Tous les élus siègent soit dans cette commission, soit dans celle des finances. L'opposition est donc présente à ce stade, il s'agit d'une sorte de mini-conseil municipal. Le dossier peut être à nouveau amendé, puis il est voté. Il ne passera qu'ensuite en conseil municipal, où recommence le débat, puis le vote. L'ensemble du processus prend entre six mois et un an. Le temps politique est un temps long.

Mes tâches concernent l'animation et l'équipement des quartiers. En accédant au pouvoir, notre équipe avait aussitôt demandé un diagnostic social de la ville à un cabinet spécialisé. Cette étude démographique, sociologique et urbanistique est l'un de mes principaux outils de travail, aujourd'hui encore. C'est une enquête précieuse qui me permet de ne pas uniformiser mes propositions, de travailler sur des données précises et actualisées.

Pour ce poste de chargée des quartiers, j'ai un service et je dispose d'un budget annuel. Dans le cadre de ce budget, je gère mon service de façon autonome. Les choses ont parfois demandé à être éclaircies lors de mon arrivée. Mettant ouvertement en doute ma légitimité, les administrations allaient rendre compte directement au maire de questions ne concernant que moi, et j'ai passé quelques semaines à établir mon autorité. Tout est à présent rentré dans l'ordre, et je suppose qu'il en va ainsi lors de l'arrivée de toute nouvelle équipe dirigeante. Mon relatif jeune âge, mon inexpérience, mon sexe aussi avaient sans doute un peu joué en ma défaveur. Je faisais preuve d'une franchise parfois trop brutale sans doute, et assez inhabituelle, qui désarçonnait également mes interlocuteurs. Mais je suis habituée à rappeler sans cesse que j'existe et qu'il faudra compter avec moi...

L'une de nos premières initiatives fut de créer un service spécifiquement dédié à la vie des quartiers. Les missions de ce service, qui me fut confié, étaient bien identifiées et nous ont permis de monter des actions comme la Grande Journée des quartiers. Je voulais à la fois rencontrer et valoriser les bénévoles, les personnels municipaux et associatifs qui consacrent leur vie au travail social dans des zones sensibles. Je souhaitais les faire se rencontrer et favoriser ainsi la transversalité. Ce sont des métiers où l'on est parfois confronté à des choses très dures, dans lesquels on se sent souvent trop seuls. La coordination inter quartiers me paraît une chose importante à mettre en place ou à renforcer lorsqu'elle existe déjà, ce qui est trop rare encore.

Dès après l'élection municipale, nous avons constitué à la mairie un groupe rassemblant les élues de tous les bords sous la responsabilité de la première adjointe, Anne Martinez, proviseur retraitée, une femme à la forte personnalité, intelligente et dynamique. Nous étions presque uniquement des novices. Nous avons mis de côté nos étiquettes et nous sommes attelées aux questions qui pouvaient nous réunir au-delà des divergences d'opinion. Pendant la première année, nous avons organisé des conférences et des débats publiques sur les droits des femmes. L'année suivante, en 2003, nous avons lancé des soirées cinéma sans enfants dans les cités. À la première assistèrent plus de quatre cents femmes en situation précaire ! Un petit hic vint nuancer ce succès : le film était sous-titré et beaucoup ne savaient pas lire. Mais ces femmes manquaient à un tel point de distractions et de compagnie qu'elles restèrent toutes jusqu'au bout, se faisant expliquer l'histoire par leurs amies. Nous avons ensuite établi une permanence, Grain de sel, qui se tient deux fois par semaine pendant le marché. On peut entrer dans le local, boire un café, discuter de tout et de rien, pousser un coup de gueule, se faire aider. Ce n'est pas réservé aux femmes bien entendu, mais comme elles sont plus nombreuses que les hommes sur le marché, elles sont aussi plus nombreuses dans notre permanence. Pour certaines, c'est le début d'un contact établi ou rétabli avec la politique. C'est en tout cas un lieu d'écoute important.

Il y a peu, en plein conseil, une élue verte nous a annoncé sa démission. Abattue, déprimée, elle a dit à quel point elle avait trouvé dures ces deux années passées à essayer de concilier un travail, un rôle politique local, une vie de femme et de mère. Elle ne pensait pas être capable de continuer à ce rythme. J'ai été profondément touchée par cet aveu d'impuissance. En tant que mère célibataire, je sais parfaitement ce qu'elle avait vécu. Depuis quatre ans aujourd'hui, ma jeune sœur vit avec moi et je sais que je n'y serais jamais arrivée autrement. La vie politique n'est pas faite pour les mères de famille, elle demande de trop gros sacrifices. Les réunions n'ont jamais lieu qu'à des heures impossibles, le soir, à un moment où l'on se devrait d'être avec ses enfants, ou le week-end. Ce sont ma sœur et mes amies, Élizabeth et Sylvette, par exemple, qui ont fait, par leur présence formidable, que mes enfants ne se sentent pas délaissés, quoi que je sois amenée à faire. De mon côté, je m'impose des rendez-vous que je ne manquerais qu'en cas de force majeure. Le week-end, ils me suivent à la section, aux matchs ou sur les marchés, ce qui les amuse... pour le moment. Un week-end sur deux, nous restons tous les trois en famille. Ce sont eux qui décident du programme, qui ne varie presque jamais : plateau-télé devant la trilogie de M6. C'est sacré, je n'ai pas mon mot à dire, et je m'y plie avec plaisir, même si je dois avouer que je m'endors souvent dès les premières minutes du feuilleton. Une fois par mois, ils invitent un ami, et décident de tout ce qu'ils veulent faire : foot, jardin, cinéma, pendant la journée entière. Le dimanche, je fais moi-même mon ménage, je me réapproprie ma maison, on range ensemble leur chambre, et ça nous donne le temps de parler de la semaine. Mais c'est dur, parfois, et ils me manquent souvent. La politique tue le temps familial, elle tue le temps de loisir, et rien n'y est jamais acquis. Quand on est salariée et mère de famille, la militance et l'engagement politique sont des luxes qu'on peut trop rarement se permettre, quelle que soit notre envie de participer. Il faut remédier à cela.

L'emploi du temps n'est pas la seule difficulté que connaissent les femmes en politique. La plus évidente est d'être considérée comme un danger pour les hommes, donc comme un adversaire à abattre en priorité. Le nombre de postes n'a pas doublé depuis la parité, chaque nouvelle venue prend donc la place d'un homme. Comme l'écrit Yvette Roudy, derrière chaque femme en politique, on voit l'éviction d'un homme... Ainsi, malgré la loi, tous les partis préfèrent payer des amendes qu'appliquer consciencieusement la parité, ce qui est hallucinant.

Que dire de la loi de parité ? Je la soutiens de façon inconditionnelle. Bien sûr, sans elle, certaines femmes y arriveraient quand même, mais si peu. Pourquoi devrait-on se battre tant, quand c'est pour les hommes si facile ? Tout en comprenant les arguments des femmes qui s'insurgent contre cette loi, la jugeant sans doute humiliante, j'avoue que l'opposition acharnée qu'elle a suscitée dans certains milieux féministes m'échappe. L'Histoire nous a appris, pourtant, qu'il faut des lois pour assurer l'égalité. Une loi qui met tout le monde sur un même pied ne favorise pas les femmes, elle les dépénalise tout simplement. Qu'on prenne la peine de regarder les taux de représentation des femmes dans les conseils généraux, où la parité n'est pas obligatoire. Un simple exemple : dans l'Yonne ne siège qu'une seule femme sur quarante-deux conseillers. Cela dit tout.

Mon premier geste, lorsque j'ai été nommée au secrétariat national du Parti socialiste, a été d'écrire une longue lettre à Lionel Jospin, pour le remercier d'avoir institué la parité.

À cette période de ma vie, peu avant l'été, alors que le sentiment d'être sur le point de toucher mes buts, de réaliser quelque chose, me donnait des ailes, un événement est venu me rappeler durement à la réalité. J'ai beaucoup hésité à le confier ici. Je ne peux me débarrasser complètement d'un léger sentiment de honte, de gêne, lorsque j'en parle. Si j'ai choisi de le faire, c'est parce que j'espère que cela pourra contribuer à faire mieux comprendre une situation que connaissent et taisent tant de femmes. Je ne voulais plus accepter la loi du silence.

L'homme avec qui je partageais ma vie depuis mon retour en France et dont je tairai ici le nom, avait vu d'un œil ironique et un peu agacé mon entrée en politique. Il avait suivi sans y croire la campagne électorale, me reprochant mon manque de disponibilité, mais avec encore une patience résignée et stoïque. Notre victoire l'avait laissé interloqué. Peu à peu, je compris qu'il ne pouvait supporter mon relatif début de célébrité. Quand nous nous promenions ensemble et que les gens m'arrêtaient, je le sentais tendu. Quand j'étais invitée, en tant qu'élue, à une manifestation, il se fermait, se montrait hostile, sarcastique. Cela allait en s'accentuant, d'autant qu'il traversait une période difficile dans sa vie professionnelle. Il souffrait de ce qu'il considérait comme un déséquilibre dans notre couple. Durant l'hiver, nos relations se détériorèrent. Au printemps, j'avais pris ma décision, je m'étais résignée à l'échec de notre histoire.

Mais lorsque j'ai voulu lui en parler, il est devenu fou. Cet homme que j'avais cru être la douceur même a laissé la rage l'envahir. Sa frustration, son amertume, son impuissance explosèrent. Il se jeta sur moi, me frappa, sans répit, avec une sorte de rage froide, puis me laissa brisée sur le sol de la cuisine. Je n'eus que la force de téléphoner au SAMU, avant de sombrer.

J'avais le visage en bouillie, des fractures du nez et des pommettes, j'étais défigurée. À l'hôpital on me demanda si je voulais porter plainte. Je refusai.

Aujourd'hui, je me demande encore pourquoi. Est-ce par respect pour l'amour que nous avions eu l'un pour l'autre ? Pour ne pas voir s'étaler publiquement ma mauvaise fortune ? ou encore serait-ce cette lancinante culpabilité, que je n'arrivais pas à repousser complètement et qui me faisait penser que c'était sûrement un peu de ma faute, si tout cela était arrivé...

Je pense pouvoir apporter une pierre à l'édifice en disant qu'une telle aventure peut arriver à toutes les femmes, quelles que soient les catégories sociales, et qu'alors on ne trouve pas facilement le soutien auquel on a droit. Dans mon travail politique j'ai tenté d'y remédier tant que j'ai pu mais je crois que mon témoignage peut encourager à la fois les élus à faire plus et les femmes à se tourner plus systématiquement vers ceux qui peuvent les aider à ne plus accepter l'inacceptable. Et surtout, je l'espère, à faire évoluer les mentalités.

En sortant de l'hôpital, je n'ai pas pu rentrer chez moi, bien sûr. Alors, naïvement, je suis allée demander de l'aide à un collègue. Quelles que soient ses raisons – peur de se retrouver mêlé à une affaire privée, se heurter à des personnalités importantes de la notabilité auxerroise qu'il imaginait voir se profiler, ou encore sincère ignorance de ce qu'il convenait de faire –, cet homme m'a écoutée d'un air embarrassé, m'a assurée de sa compassion et s'est bien gardé de faire quoi que ce soit. Il m'a laissée partir sans plus de solutions, avec en plus la honte d'avoir étalé ma détresse devant lui. Je sais maintenant que cette attitude de réserve prudente et inquiète est le fait de beaucoup d'hommes, qui n'ont pas une idée claire de ce que signifient les mauvais traitements subis par une femme. Les mentalités ont évolué, sans doute, mais il reste beaucoup à faire. Aujourd'hui, en France, on estime que six femmes meurent chaque mois tuées par leur conjoint. Les associations affirment qu'il s'agit là d'un chiffre largement sous-estimé, quand en 2001, sur la seule région parisienne, quarante-cinq femmes sont décédées à la suite de mauvais traitements conjugaux. Penser que dans tout le reste de la France i n'y aurait que vingt ? C'est improbable. Une étude quantitative précise doit être menée au niveau national. Le chiffres sont trop mal connus, les décès étant parfois classés sous la rubrique « chute »... par exemple, comme le relevait cet été Blandine Grosjean dans un article de *Libération*. Pour lutter efficacement contre un phénomène, il faudrait le connaître intimement, il faudrait être capable de dire s'il évolue, et comment. Ainsi, on devine par exemple sans pouvoir étayer complètement cette thèse, que la majorité des crimes sont commis au moment d'une rupture. Ce sont des choses qu'on doit savoir si l'on veut protéger les femmes de France. Mais c'est toute une société qui semble bloquer et refuser de s'autodiagnostiquer.

Le rapport ENVEFF (la première enquête au niveau national sur les violences faites aux femmes, commandée en 1997 par le secrétariat aux droits des femmes) avait été très décrié car une femme sur dix y était considérée comme victime de mauvais traitements, cela incluant aussi bien les coups que les remarques humiliantes. Il a pourtant eu le mérite de faire réagir l'opinion publique. Aujourd'hui, on parle beaucoup de l'Espagne, mais la France fait toujours figure de honte de l'Europe en la matière, malgré les nouvelles mesures adoptées pour garantir la conservation du foyer à la victime et non à l'agresseur par exemple – une avancée sensible.

J'ai pu quant à moi mesurer dans ma chair le cauchemar de la dépendance à un homme qui ne vous veut plus de bien. Et en tirer une leçon qui s'imposait : ne dépendre de personne, plus jamais.

L'été s'est écoulé ainsi, cauchemardesque. J'avais peur, je ne savais pas vers qui me tourner. J'avais cru être quelqu'un de fort, capable de résister à tous les coups du sort, de me relever toujours. Et je pensais, si fière de mon élection et de mon entrée en politique, avoir réussi à construire quelque chose de solide, une base stable peut-être pour la première fois de ma vie. Je croyais tout contrôler. En quelque sorte, je m'imaginais être « arrivée ». Voilà que tout s'écroulait. Mon univers n'étais plus que sable mouvant, je n'avais pas de soutien. J'ai perdu toute estime de moi, j'étais une femme battue, j'avais honte de me trouver aussi fragile et démunie que n'importe qui, moi, une élue, une battante.

Peu à peu, les choses sont pourtant rentrées dans l'ordre. Mais tandis que mon visage reprenait une apparence normale, que je trouvais une nouvelle maison pour accueillir mes enfants et reprenais lentement courage, la conscience de ma fragilité se calcifiait dans mon cœur et je prêtais le serment de faire tout ce qui serait en mon pouvoir pour les femmes qui connaissent de telles détresses.

En septembre 2001, j'ai ouvert mes permanences comme je me l'étais promis. Dans les quartiers, pendant toute la campagne, j'avais été confrontée à la méfiance dont tous semblaient témoigner à l'égard de la politique. Je voulais prouver que c'était faux et je voulais m'ancrer sur le terrain. Et puis quelque chose faisait doucement tinter la nostalgie à mon oreille. J'avais la charge des quartiers, je retournais dans les quartiers, et j'étais née et avais été élevée dans les quartiers. Les quartiers, aussi vague que soit ce terme qui regroupe tant de réalités différentes, c'était chez moi, c'était ma patrie. Partie des quartiers, je retournais dans les quartiers, les bras chargés de toute l'expérience et de toutes les richesses accumulées en chemin. Tous les jeudis, en me rendant à ma permanence, je me revoyais courir sur le sable du quartier 3, j'entendais les voix résonner : « Safia, qu'est-ce qu'il faut faire ? » Cela me rendait pleinement heureuse.

Mes permanences se déroulent dans quatre secteurs auxquels je tiens beaucoup, très différents, ayant chacun une problématique particulière. Elles ont lieu le jeudi après-midi, à la maison de quartier. Je suis seule, des petites affiches annonçant mes heures de présence sont placardées sur la porte du local, et je reçois tous ceux qui se présentent. J'accepte de traiter n'importe quel problème. Il n'y a pas de rendez-vous à prendre, pas de liste d'attente, on vient et on est reçu par ordre d'arrivée. Très vite, je n'ai plus pu respecter les horaires, je crois n'avoir jamais fermé la permanence avant 18 heures, quand la maison ferme et que je me retrouve dehors. Je ne refuse personne. Mais j'en profite toujours pour faire un peu d'éducation civique. Surtout auprès des jeunes, dont l'attitude changera ainsi peu à peu, je l'espère. Sans faire de politique surtout, car ces jours-là je me moque bien que les gens votent à droite ou à gauche, je prêche pourtant pour l'exercice consciencieux du droit de vote. Je considère que si l'on a droit à certaines choses de la part de l'État, on a aussi certains devoirs, et le premier, auquel je tiens car je viens d'un pays où cela n'a pas le même sens, c'est celui de voter.

Le plus souvent, c'est un travail d'assistante sociale que j'accomplis, et de plus en plus de médiatrice entre les citoyens et les institutions. J'ai découvert que les citoyens ignorent souvent leurs droits, ne savent pas à qui s'adresser pour affronter leurs difficultés, quand les services existent pourtant. Beaucoup, surtout les jeunes et les chômeurs, ne sortent jamais de leur cité. Ils n'ont pour tout univers que la rue où souvent ils sont nés. Le monde extérieur leur paraît menaçant et peu fiable. Tout comme leur univers paraît inquiétant aux yeux des autres. C'est cette barrière, cette méfiance réciproque qu'il faut parvenir à vaincre. J'ai plus de pouvoir toutefois qu'une assistante sociale, car quand je décroche mon téléphone pour appeler un service et y recommander quelqu'un, je sais que je serai écoutée. Je dois dire d'ailleurs que les services auxerrois sont d'une qualité tout à fait supérieure et que j'ai toujours trouvé dans les services sociaux et les administrations de la ville des interlocuteurs de qualité, qui m'ont permis de venir en aide à un grand nombre de personnes.

Je voudrais donner quelques exemples du travail ainsi fourni : une famille maghrébine de cinq enfants est venue me trouver. Ils étaient en pleurs, leur mère venait de mourir. Je la connaissais, c'était une femme courageuse qui avait été abandonnée par son mari pour une épouse plus jeune.

Elle avait élevé seule ses cinq enfants, qui avaient tous poursuivi leurs études. Elle les avait portés à bout de bras, menant de front deux emplois et son travail de mère, avant de mourir d'épuisement, trop précocement. Les enfants, encore jeunes, étaient absolument désemparés, et voilà que le père disparu depuis plus de dix ans refaisait surface. Il voulait la garde du plus jeune qui n'était pas encore majeur, car cela lui permettait de faire valoir ses droits à rester en France. Il n'avait pas donné de nouvelles depuis des années, n'avait jamais payé de pension ni aidé en quoi que ce soit sa famille, et les cinq enfants, soudés, voulaient rester ensemble. Je les ai aidés en contactant la DDASS, les services d'aide sociale et le parc HLM. La situation a pu être réglée rapidement à leur avantage. La garde du plus jeune fut confiée à son frère aîné, les enfants purent garder le logement dans lequel ils avaient grandi. Je les vois régulièrement, nous avons gardé de bons rapports. L'un des frères vient de quitter la ville après avoir trouvé un très bon travail à Dijon. C'est une famille qui va s'en sortir, malgré ce drame qui a failli la faire éclater. Voilà le genre d'action dont je suis fière.

Plus étonnant, cet autre cas arrivé récemment. Un homme noir, très diplômé et n'habitant pas le quartier, s'est présenté sur le lieu d'une de mes permanences. Il m'a avoué qu'il ne savait plus à quel saint se vouer, qu'il n'aurait jamais cru avoir besoin, lui, de l'aide d'un tel service... Il enseignait déjà et pour devenir titulaire il avait passé, pour la deuxième fois cette année, le concours de l'IUFM. Les épreuves écrites se déroulèrent très bien selon lui, il se sentait confiant. En juin, il vint voir les résultats affichés et eut la surprise de ne pas trouver son nom. Peiné et déçu, il contacta le rectorat et demanda à voir sa note et sa copie. La procédure prit un temps inhabituel, on finit par lui répondre qu'il avait été éliminé pour n'avoir pas assisté à l'une des épreuves. Furieux, il nia et insista. On finit par lui raccrocher au nez. Il contacta alors son syndicat pour demander de l'aide, se renseigner sur la marche à suivre. L'homme qui le reçut parut lui aussi mettre en doute sa parole. Il se tournait maintenant vers moi... Les coups de téléphone au rectorat m'ont permis d'éclaircir la situation. La copie avait été perdue, puis retrouvée. Pour éviter d'avoir à organiser une section de rattrapage spéciale pour lui, une note avait été jetée en haut de page, sans une seule annotation, un 8 qui ne permettait pas au candidat de se présenter aux oraux. D'après lui, cela avait été fait après coup... Cet homme se heurtait donc à un mur de mauvaise volonté bureaucratique. Et face à cela, il était sans ressources.

J'ai choisi de tourner dans les quatre quartiers dont j'ai la charge, consacrant à chacun un jeudi par mois. Le premier, je le passe à Sainte-Geneviève. C'est un quartier où le parc HLM est important (mille deux cents logements). On y trouve beaucoup de F4 et F5, qui sont rares partout ailleurs, donc beaucoup de familles nombreuses. La population étrangère est nombreuse (21 %), le taux de chômage élevé. La zone a une très mauvaise réputation, elle est pourtant vivante et animée, le tissu associatif y est de bonne qualité. Mais c'est un endroit qu'on n'a pas intérêt à déserter, car les choses pourraient, c'est vrai, y mal tourner. L'une des réalisations dont je suis le plus fière depuis notre élection a été faite ici : c'est la mosquée dont nous avons permis la construction en mettant à disposition un terrain. Auparavant, les croyants se réunissaient dans un sous-sol. Un centre culturel a été érigé sur ce même terrain, pour dispenser, au côté de la religion, le savoir et la culture.

Le second jeudi, je le passe à Rive droite, une zone extrêmement contrastée que je connais bien. Il y a d'une part un parc important de logements sociaux construits à l'origine pour reloger les pieds-noirs rapatriés d'Algérie. Ils sont habités par des Blancs en situation précaire. Juste à côté, une zone pavillonnaire bien plus chic où les maisons ont été bâties par des Maghrébins souvent venus de Sainte-Geneviève et ayant renoncé à rentrer au pays. Ils ont donc investi leurs économies dans la construction de maisons qui sont de véritables villas, assez luxueuses. La cohabitation de ces deux ensembles urbanistiques ne se fait pas sans mal – le Front national atteint dans cette zone des scores élevés. Pour tenter de lutter contre cela, j'ai organisé à Rive droite une fête de quartier pour permettre aux différentes communautés de se rencontrer.

À Saint-Siméon, la ZAC toute proche où je passe les troisièmes jeudis de chaque mois, la problématique est très différente. Ici, ce sont environ mille quatre cents logements sociaux de petite taille. On trouve en majorité des familles monoparentales, les femmes seules avec enfants y sont donc très nombreuses. La population est moins ancrée qu'elle ne l'est à Sainte-Geneviève, on trouve beaucoup de gens de passage, en attente d'un meilleur logement ou d'une accession à la propriété.

Quant aux Rosoirs, que je visite en fin de mois, où j'ai donné pendant une année entière, en 1996, des cours de théâtre à des gamins qui aujourd'hui viennent me demander conseil, c'est un quartier de petits logements privés où vivent beaucoup de personnes âgées, des Blancs le plus souvent.

Mais pour moi, avant d'être des chiffres, les quartiers ce sont les gens qui les habitent. Sainte-Geneviève, c'est Ali, Ouaali, Dalila, Véronique. Saint-Siméon, c'est Sylvette, qui y a un petit appartement, Chris, Amina et Nawal. Rive droite, c'est Lou Baba, ma copine éthiopienne, Momo, Francis, Fatia et José... Partout, aussi, les amis de mes enfants. J'identifie les quartiers en fonction des gens qui y vivent, et non l'inverse. Je ne suis pas née à Auxerre, je ne partage pas l'histoire de ses habitants, et pourtant la ville me manque quand je m'en absente plus d'une ou deux semaines. Mon histoire, elle est ici, désormais.

3

Le Parti

En août 2001, j'étais élue depuis quelques mois, je commençais à avoir l'impression de sortir la tête hors de l'eau. Je tentais de m'éveiller du long cauchemar de mon été, lorsque je rencontrai un homme formidable, Laurent, qui parvint à me redonner confiance, petit à petit. Toutes mes amies m'encourageaient à refaire ma vie. J'étais un peu réticente, méfiante, mais je me disais que je ne pouvais pas m'enfermer. À trente ans tout juste, je devais bien avoir le droit de vivre pour moi et d'être heureuse. J'avais donc accepté un week-end en amoureux à la fin du mois d'août et m'étais organisée pour faire garder mes enfants. C'est le moment qu'a choisi mon premier fédéral Denis Troester pour me demander de le remplacer à La Rochelle, à l'université d'été annuellle du PS. L'escapade en amoureux tournait au séjour politique, mais je ne pouvais en aucun cas refuser.

La fédération payait le logement, un petit Formule 1 en marge de la ville, mais mon ami m'a invitée dans le meilleur hôtel de La Rochelle.

Cela me rassurait, j'étais certaine de n'y rencontrer aucune de mes connaissances, et je ne tenais pas à officialiser déjà ma liaison. Nous sommes arrivés un soir, sans avoir pensé à réserver. La tête du concierge devant notre naïveté, son incrédulité, je m'en souviendrai longtemps. Évidemment, l'hôtel était parfaitement complet, tous les pontes et éléphants du PS y logeant... ce dont je ne m'étais pas doutée, l'hôtel étant très éloigné de l'endroit où auraient lieu les conférences. J'insiste désespérément, consternée à l'idée que toute tentative de vie privée et amoureuse me soit décidément interdite, quand un homme en uniforme noir passe dans le hall. Il m'écoute un instant plaider ma cause, prend d'autorité le carnet de réservations, le parcourt des yeux et annonce : « Eh bien oui, il reste une chambre, la voilà ma petite dame », et il me tend la clé. Enthousiaste, je vois renaître de ses cendres mon week-end, et je pars dîner avec mon compagnon.

Le lendemain très tôt, je prends mon petit déjeuner seule dans la salle de restaurant avant de me rendre à la première des conférences de l'université d'été, quand je vois passer l'homme de la veille, mon sauveur. Je l'appelle et entreprends de le remercier. Quand il réalise que je le prends, tout logiquement, pour le manager de l'hôtel, il éclate de rire. Il rit à s'en faire exploser les côtes, il ne peut plus s'arrêter. Il interpelle une jeune femme qui traverse la salle et lui raconte tout, provoquant de nouveaux éclats de joie. Je n'y comprends rien. Ils s'installent tous les deux à ma table et nous terminons ensemble notre petit déjeuner.

Lui, c'est José, le garde du corps de Lionel Jospin. Elle, Yasmina, l'assistante de François Hollande.

Quand je suis redescendue de ma chambre, après le petit déjeuner, pour aller prendre un taxi, Yasmina m'a fait signe. Elle m'a présenté François Hollande, qui m'a proposé de m'emmener en voiture. Je suis arrivée à la première conférence avec tout son staff. Et c'est ainsi, sous ces auspices un peu absurdes mais plutôt gais, que s'est engagée ma première université d'été à La Rochelle. Avant même d'y avoir mis un pied, j'y rencontrai déjà mon premier secrétaire...

Toute la semaine s'est ainsi passée en rencontres passionnantes. J'ai eu l'occasion de débattre une heure durant avec Dominique Strauss-Kahn. Sa position au sujet de l'Europe qui devrait s'étendre jusqu'au Maghreb, que je connaissais déjà, m'intéressait énormément et j'étais heureuse d'avoir l'occasion d'en parler directement avec lui.

Le samedi venu, j'ai fait la connaissance d'Olivier Faure, le directeur de cabinet d'Hollande. Grâce à lui, j'ai énormément appris et progressé dans la connaissance du Parti. Il est devenu mon formidable ami.

C'est au dernier jour de l'événement que j'ai choisi Hollande, une bonne fois pour toutes. Il est monté à la tribune et y a prononcé son discours. J'ai été emportée. J'ai su de manière immédiate qu'il incarnait le courant dans lequel je me reconnaissais et je n'en ai plus jamais douté depuis. Il était souriant, sincère, accessible. Il revenait de manière têtue aux idées phares du socialisme. Il parlait de valeurs, et je les partageais, sa langue était moderne et franche. Derrière son pupitre, cet homme, d'une très grande modestie, se révélait un formidable orateur. Il incarne, à n'en pas douter, l'avenir du mouvement.

Après cette université d'été, j'ai rapidement été contactée par Samia, l'assistante d'Olivier Faure, qui m'a invitée à assister à un colloque sur la dette des pays pauvres. Elle savait que le sujet m'intéressait, et Hollande devait y intervenir. À partir de ce moment, en me rendant régulièrement à des conférences, en suivant les déplacements de François Hollande, j'ai commencé à rencontrer les membres du cabinet, à tisser un réseau, et surtout j'ai pu observer, de l'intérieur, le fonctionnement complexe de l'appareil. Je me familiarisais peu à peu avec ses rouages.

Pendant la présidentielle, on m'a demandé d'intervenir sur tout le territoire, ce que j'ai fait avec plaisir. Nous avons notamment organisé la rencontre entre François Hollande et Guy Roux.

L'échec socialiste aux élections présidentielles a été, est-il nécessaire de le rappeler, à la fois un véritable traumatisme individuel et un cauchemar pour le parti dans son ensemble. Le PS s'en remet à peine aujourd'hui. Pourtant, puisque j'en ai ici l'occasion, je voudrais défendre en quelques mots le bilan du gouvernement Jospin. Certaines réalisations, comme la loi de renouvellement urbain portée par Daniel Vaillant, sont des réformes formidables. Malheureusement, elle n'a été votée qu'en 2001, après d'incessants allers et retours entre l'Assemblée et le Sénat, et les Français n'ont pas eu le temps de voir leur quotidien changé, amélioré. La CMU évidemment, ainsi que l'APA, l'aide pour les personnes âgées, sont des avancées sociales considérables. Les plus grandes réussites du gouvernement ont été, bien sûr, la réduction du chômage, contre lequel on a prouvé qu'il était possible d'agir, les 35 heures, les emplois-jeunes.

Il y eut aussi des ratés, et dans des domaines qui me tenaient à cœur. Rien n'a été fait pour les sans-papiers. Le droit de vote des étrangers, à qui on avait fait miroiter monts et merveilles tout en sachant qu'il n'en serait rien, est resté soigneusement enterré. Les tirailleurs sénégalais n'ont pas été indemnisés et ont reçu pour toute explication quelques mots secs : « Cela risque de déstabiliser l'économie locale. » Aujourd'hui, à nouveau, tous les Africains qui participèrent aux combats pour la libération de l'Europe ont été oubliés des cérémonies de commémoration. Des semaines après tout le monde, ils ont été remerciés à leur tour, comme dans un sursaut de honte.

Pour résumer, les années Jospin ce sont d'immenses réussites et un motif de fierté pour nous autres, socialistes. Nous revendiquons pleinement le bilan de ce gouvernement que Jean-

Luc Mélenchon qualifiait à l'époque de « gouvernement le plus à gauche du monde ». Ce qui a manqué, à mon avis, c'est le manque de lisibilité du programme pour les cinq années à venir. Jospin a donné, peut-être, le sentiment d'avoir épuisé son énergie à Matignon. Il n'a plus su faire partager son combat aux Français.

À l'issue de notre gamelle et après le départ précipité de Jospin, plusieurs courants se sont dégagés. Spontanément, j'étais pour la tendance personnifiée par Hollande, c'est-à-dire celle d'un retour aux sources du socialisme, d'un retour vers la base et les idées clés. Je suis trop concrète pour être tentée par le repli gauchiste et les appels au Grand Soir.

Le PS s'est remanié, différentes motions ont vu le jour, enrichies de nombreuses contributions thématiques. La motion A, vers laquelle je tendais sans hésitation, rassemblait Strauss-Kahn, Fabius, Aubry et Hollande. Elle représente l'ancrage à gauche tout en constituant un lien avec le réel. Tout cela a été discuté car tout est sujet à discussion, et donc à congrès, dans ce parti : les victoires comme les échecs. Se mêlent alors ambition, tactique, positions, convictions sincères...

C'est d'ailleurs en 2002, au congrès de Dijon, qu'Olivier Faure m'a présentée à d'autres camarades issus d'une vingtaine de fédérations, dont Christophe Clergeau et Anne Hidalgo. Nous étions en quelque sorte des orphelins idéologiques mais de tradition et de sensibilité assez diverses. Après le cataclysme des présidentielles, nos modèles politiques semblaient un peu dépassés, nous voulions agir, créer un nouvel élan. Nous avions tous le même âge, une trentaine d'années, nous étions spontanément mixtes, nous nous posions les mêmes questions. Ensemble, nous avons alors monté un groupe, le « 17 novembre », pour influer sur la motion A de l'intérieur. C'était le jour de la naissance de l'UMP, une façon pour nous de prendre place face à notre seul vrai adversaire. Olivier est resté notre compagnon de route, et nous avons commencé notre aventure. Le texte que nous avons présenté insistait sur les valeurs de diversité et d'égalité au sein du parti. Nous prônions l'égalité des chances, l'accès à l'éducation et à la santé, et la lutte contre les discriminations. La place des militants et la démocratie participative que nous promouvions nous intéressaient également. Et, bien sûr, nous accordions une large place à l'Europe.

En résumé, nous voulions une politique sociale, une politique globale (car les combats n'ont de valeur qu'au niveau le plus large), une politique durable et participative. C'est avec François Hollande que nous avons choisi de partager cela. Nous avons alors commencé à faire le tour des fédérations pour présenter et défendre les orientations de Hollande. Les sections organisaient des réunions, invitaient les défenseurs des textes et des motions à venir s'exprimer. Chacun disposait d'environ vingt minutes de temps de parole. Je suis d'abord intervenue au sein de ma propre section. Puis j'ai fait ma première sortie, avec le député Bruno Leroux. Nous nous sommes rendus tous les deux à Montargis. Plus tard, j'ai accompagné François Rebsamen dans la Nièvre. C'est à cette occasion que j'ai rencontré pour la première fois le nouveau maire de Dijon, figure de proue des socialistes de Bourgogne et dont les qualités politiques ont, depuis, fait de lui l'une des clés du succès de François Hollande. C'est donc en compagnie de celui que les militants surnomment affectueusement « Rebs » que je me suis rendue dans l'ancien fief de François Mitterrand. Visite initiatique avec celui qui m'a toujours accompagnée et encouragée dans mon parcours politique.

C'est en général au moment des élections internes que les candidatures des militants sont envoyées. Les élus demandent au nouveau secrétaire les postes qui les intéressent. Mais à l'issue de cette longue campagne, j'étais fatiguée, et surtout un peu hésitante. Le mandat d'adjointe au maire, mon travail d'enseignante et mon engagement militant remplissaient ma vie d'une façon plus que satisfaisante pour le moment. Pourtant, Hollande souhaitait que je sois candidate pour être membre des instances dirigeantes. J'étais donc impatiente d'assister au congrès, même si je ne demandais rien.

François Hollande est le seul au PS à avoir risqué de sacrifier ses éléphants, ses gros élus hommes et blancs, pour mettre à la place des femmes, des immigrés. Les autres, très catégoriques dans leurs discours, n'ont pas montré une grande cohérence. Ils n'ont pas osé ce sacrifice. Hollande met ses actes en accord avec son discours. Il parle vrai.

Le dernier soir du congrés, lorsque la liste du nouveau Conseil national a été à la tribune, j'ai entendu mon nom...

À partir de ce jour, j'ai donc siégé au conseil national. J'étais très fière, d'autant que Hollande, dans son discours d'investiture, s'était félicité de mon arrivée.

Le bureau national du PS est divisé en autant de courants qu'il en existe et qui ont obtenu plus de 5 % des votes au sein du Parti. Au centre, le secrétariat national fonctionne à la manière d'un gouvernement, avec ses différents ministères. Hollande me confia le secteur sport. J'étais enchantée, je me sentais à la hauteur de la tâche.

— Dites-moi, qui êtes-vous donc, jeune fille ?

— C'est Safia Otokoré, chargée des sports au SN, tu sais.

— Eh bien, le Parti a drôlement changé !

— Oui, il noircit.

Ce petit dialogue, réellement entendu, pourrait s'appeler : de la négritude en politique. Depuis le début de ma carrière, j'ai entendu un nombre de réflexions sur les femmes et sur les Noirs, sans parler des musulmans, suffisant pour rendre malade n'importe qui. En fonction de celui qui s'exprime, mon attitude varie. Je rentre dans le lard, j'ignore, je persifle. J'avance, mais j'ai conscience en permanence d'être en terrain miné. Il n'y a pas de place pour le repos et la détente, le monde politique est un monde dur. Pour lequel mon enfance m'a plus qu'efficacement préparée.

Être noire m'a aidée car je tombais à un bon moment. Mais cela me contraint également à devoir justifier de ma présence bien plus que les autres. J'ai sans cesse à prouver ma légitimité, chaque matin je sais que je vais devoir recommencer. Tous les partis, même le FN, ont leurs Noirs, leurs Arabes, leurs Chinois. Moi, je veux être bien plus que ça, bien plus que l'alibi. Je suis prête à me battre.

Sur moi, le regard des techniciens et des fonctionnaires est parfois terrible. À Prague, où je me suis rendue en que présidente de la commission Europe de la région Bourgogne, j'ai dû batailler une journée entière pour qu'on daigne m'adresser la parole. La Bourgogne est jumelée à trois régions tchèques, nous étions venus pour signer la convention quadripartite définissant les actions à entreprendre pour encourager l'ouverture, les échanges et la communication entre nos régions. Quand je suis entrée dans le bureau où nous devions discuter de l'éducation et du sport en particulier, les responsables tchèques n'ont pu masquer leur surprise.

À la fin du séjour, j'étais tout à fait acceptée, mais rien n'avait été gagné d'avance, comme me l'ont avoué certains après coup.

Après mon élection, j'avais été contactée par une association qui se propose de mettre en contact des personnalités noires françaises dans tous les domaines (artistique, politique, entrepreneurial) et de mener ainsi des actions de lobbying pour leur faire gagner de la visibilité. Cela m'a permis de rencontrer d'autres élus noirs, et de me rendre compte qu'à Auxerre les gens étaient formidables, ouverts et positifs, en regard de bien d'autres régions. Les choses sont très difficiles, pour les élus noirs en France, et particulièrement au sein de leur propre parti, aussi cruel que soit ce constat. Il faut être arrogant et « se la ramener tout le temps », comme le dit mon fils. C'est un travail éreintant que de convaincre le monde de sa légitimité.

Je dis et je maintiens que les Bourguignons ne sont pas racistes. C'est en Bourgogne que la télévision régionale a eu sa première présentatrice noire, antillaise, et que fut élue la première miss noire. Mais tout de même, j'avais l'impression d'avoir remporté, personnellement aussi, une belle victoire. Car dans les plus petites communes, j'avais toujours été reçue avec respect et intérêt. Je prouvais donc que la France était plus que prête à accepter sa mixité, et que ceux qui bloquaient n'étaient peut-être pas ceux qu'on croyait, mais plutôt les vieux de la vieille, les caciques des partis, et les forts en déclarations d'intention. Les électeurs, eux, ont prouvé qu'ils se moquaient bien du sexe et de la couleur des candidats. C'est ce qu'a si bien résumé Kader Arif après son élection aux européennes.

Au secrétariat national, nous sommes aujourd'hui trois Français d'origine étrangère : Malek Boutih, Bariza Khiari, et moi...

Quelques semaines après ma nomination, j'ai demandé une réunion avec le premier secrétaire du Parti. Je voulais savoir ce qu'il attendait de moi à ce poste, précisément. Les principales orientations politiques en matière de jeunesse et de sport étaient préexistantes, le projet avait été déjà établi dans ses grandes lignes, mais il demeurait trop technique, trop loin peut-être des réalités du terrain. Hollande faisait appel à mon expérience en la matière pour amender le texte, et permettre sa mise en œuvre optimale. Nous avons discuté une grande heure de mes idées sur la question et de la marche à suivre. C'était un travail qui promettait d'être passionnant.

Puis, il m'a questionnée. Il voulait savoir comment je voyais mon avenir. J'appréhendais de me lancer si vite dans un nouveau combat. Mais Hollande m'a encouragée. Il voulait à tout prix des élus d'origine étrangère dans les conseils, il suivait mon parcours depuis quelques années maintenant, il m'avait vue à l'œuvre en campagne, et il m'a assurée de son soutien. Je me suis laissé convaincre. C'était en juin 2003.

En septembre, François Rebsamen m'a présenté François Patriat, qui avait l'intention d'être candidat à la candidature pour le poste de président de la région, au sein du PS. Christian Paul, député de la Nièvre et soutenu par le courant NPS, se portait également candidat. J'ai choisi de soutenir Patriat pour un certain nombre de raisons. Christian Paul était un candidat de très haute valeur, mais j'ai choisi l'ancien vétérinaire. Son contact était facile, il avait été longtemps un très bon élu local, je me sentais proche de sa vision de la politique de terrain. Je pensais qu'il était notre meilleur atout pour faire oublier Soisson. Ce n'était pas un sectaire, il incarnait des valeurs sûres et avait une grande expérience.

La précampagne pour obtenir l'investiture PS a donc commencé. Cette fois, il ne s'agissait pas de convaincre les cent vingt mille adhérents que compte le PS à travers toute la France comme lorsque j'avais défendu la motion A, mais seulement les trois mille et quelques militants de la région... Le travail était pourtant similaire, je commençais à me sentir rodée. Le 7 octobre, Patriat a emporté la candidature par quarante-huit voix. La campagne avait été violente, désagréable, parfois médiocre. Le résultat a permis de tout oublier. Mais nous avons gagné. Toutefois, je me disais que c'était beaucoup d'énergie gaspillée au sein de notre propre camp, avant même d'entamer le combat véritable. Cela dit, au moment de l'entrée dans l'arène pour les régionales, nous étions blindés... Au sein d'un parti, comme au sein d'une famille, les luttes internes peuvent être particulièrement intenses, comme je n'allais pas tarder à en avoir une nouvelle fois la preuve...

La nouvelle loi stipulait que chaque département présente une liste paritaire. Nous avions réussi l'union avec le PC, les Verts et le PRG, les places éligibles pour les socialistes étaient donc au nombre de quatre. Il s'agissait de la première, attribuée à notre maire, de la deuxième à Florence Parly, en troisième place il y avait un élu vert, la quatrième était pour moi tandis que la cinquième était occupée par Jean-Yves Collet. Le conseil fédéral présentait cette liste aux militants.

Mais peu avant le vote, des camarades du courant NPS et de la motion Dolez ont présenté une liste dissidente. Il s'agissait en fait de la même, exactement, à l'exception de mon seul nom...

Hollande, qui a eu vent de l'affaire, m'a proposé de m'aider. Mais j'étais trop révoltée pour accepter d'être imposée. Ils voulaient aller au vote, j'irais.

Avec ma fidèle amie Sylvette, nous sommes entrés en campagne au sein de la fédération. Nous avons fait le tour des militants, un par un, avec les deux listes en main, expliquant ce qui se passait. Puis le vote a eu lieu. Notre liste, ma liste donc, a remporté les suffrages à cinq voix près !

La campagne officielle s'est enfin ouverte, le 24 janvier 2004, à Dijon. Nous avions réservé une grande salle. Il était prévu que tous les membres de la liste montent un par un sur l'estrade, en musique, pour se présenter. Le clou de la soirée était bien entendu François Rebsamen, notre poids lourd. La réunion était publique, environ huit cents sympathisants y assistaient. J'étais venue avec mes deux garçons. Pour une fois, j'étais vraiment intimidée... Au moment où l'on a annoncé mon nom, je me suis levée et j'ai vu N'Ry qui jouait entre les chaises un peu plus loin se relever, stupéfait, et courir vers moi. Il a attrapé ma main, et je n'ai pu que monter avec lui sur l'estrade. Il se tenait raide comme un I et souriait fièrement aux caméras. Après cette soirée, il a taquiné son grand frère pendant des semaines en lui disant :

« Moi, au moins, on m'a caméralisé avec maman... »

Durant ces quelques semaines, j'ai retrouvé les émotions qui m'avaient portée durant toutes les municipales, mais à une beaucoup plus grande échelle. Nous tournions dans toute la région. Nous avons été partout, dans tous les villages, toutes les communes, le moindre des hameaux. Nous tenions des meetings, collions des affiches, distribuions des tracts sur les marchés. Nous avions énormément travaillé, tous, sur ce qu'était une région, ce qu'elle gérait exactement, comment étaient répartis les postes, les budgets. Nous voulions être capables de répondre précisément à n'importe quelle question. Nous ne voulions pas être vagues, nous contenter de généralités comme on le fait trop souvent en politique. Nous souhaitions que les électeurs se sentent vraiment concernés, qu'ils comprennent que nous les prenions au sérieux. Nous connaissions tous les chiffres sur le bout des doigts, et le moins pédagogue d'entre nous était pourtant capable d'expliquer correctement et de façon vivante et illustrée d'exemples concrets le travail d'un conseiller régional. Je sentais, et on ne se trompe pas en la matière, que nous étions en train de faire avancer les choses, de rendre confiance en la politique, et de créer un véritable engouement populaire autour de notre liste.

Ces efforts ont porté leurs fruits. Nous avons gagné, nous avons pu baisser les armes et laisser éclater notre joie.

La première fois que j'ai siégé à Dijon, j'ai mis ma plus belle robe blanche, et j'avoue que j'étais émue aux larmes, dans la grande et magnifique salle du conseil. Face à nous, le président sur son estrade, dans un large fauteuil de cuir. Soisson, en tant que doyen et président sortant, nous a installés dans le petit hémicycle. La séance était publique. Derrière nous, sur les bancs des spectateurs, j'entendais des bruissements, et j'avais conscience des regards sur nous. Il y avait Pierre Joxe, Arnaud Montebourg, François Rebsamen, Marcel Charmant... J'étais aussi nerveuse que si j'avais passé un examen. De plus, et contrairement au conseil municipal, il y avait dans la salle six élus du Front national. Nous étions trente-neuf à siéger, mais je mis quelques minutes à arrêter de me focaliser sur ces seules six personnes. Il me fallut pour cela me souvenir d'une anecdote arrivée récemment. En pleine campagne régionale, j'avais accompagné un candidat socialiste qui se présentait pour les cantonales. Je l'avais emmené aux Rosoirs. C'était un homme digne et sérieux, directeur d'une bonne école rurale, imprégné de théorie politique. Nous avions frappé à une porte. Je connaissais, de réputation, l'habitante des lieux, et je savais qu'elle votait Front national. Je ne fus pas déçue en entendant sauter un à un une demi-douzaine de verrous, avant de voir la porte s'entrebâiller sur un regard méfiant. Après quelques mots, elle nous invita pourtant à entrer, et se lança dans un grand discours : « Si vous êtes élus, vous chasserez les Arabes d'ici ? Moi, quand je regarde par la fenêtre mon salon, je vois l'Algérie. Quand je regarde par la fenêtre de ma cuisine, je vois le Maroc... ce n'est pas supportable... », etc. Le candidat, choqué, voulut se lever et s'en aller, mais je le retins, et entamai la discussion avec cette femme. Retraitée, solitaire, angoissée et au bord de la paranoïa, elle ne demandait pas mieux que de parler. Évidemment, je ne prétends pas savoir ce qu'elle a voté lors des cantonales. Mais je crois qu'il n'était pas impossible de renouer le dialogue avec cette femme. Voilà ce que je connais des électeurs du Front national. Je veux croire qu'il est possible d'éteindre leur peur.

À la Région, on me chargea de la délégation Sport, jeunesse et lutte contre les discriminations. J'étais aussi présidente de la commission Europe, international et coopération décentralisée. Pour le secteur Sport et discrimination, j'ai un budget et je propose des actions. Dès mon élection, j'ai entrepris de rencontrer l'ensemble des acteurs du mouvement sportif. Nous voulons parvenir à mieux gérer la licence sportive, et aider ainsi à la pratique en direction des jeunes. C'est un travail qui demande énormément de disponibilité. Les manifestations sportives sont nombreuses partout dans la région. Les acteurs étant souvent bénévoles, ils doivent être tout particulièrement respectés. Les citoyens connaissent souvent mal leur Région et ses attributions. Le président souhaite que nous ayons une bonne visibilité et c'est également ma propre idée de la pratique politique qui me pousse à toujours aller voir sur le terrain, à ne pas juger uniquement les dossiers sur le papier. Mais pour cela, ce sont des déplacements incessants, des allers et retours quotidiens, des heures sur la route et dans les stades...

Le problème des discriminations, qui me tient particulièrement à cœur, nous a poussés à organiser des débats. J'ai pu faire venir par exemple un Bourguignon noir, Gaston Kelman, l'auteur du best-seller *Je suis noir et je n'aime pas le manioc.* Cette réunion qui s'est tenue à Dijon a eu un retentissant succès. Une de nos propositions est l'installation d'un observatoire régional des discriminations, un outil indispensable pour appréhender le phénomène. La discrimination existe. Face à elle, nous les élus avons le choix entre deux attitudes : fermer les yeux, ou mettre les choses sur la place publique. Comme en tout, je crois à la connaissance. Pour lutter efficacement contre quelque chose, il faut le connaître. Les pratiques discriminantes, qu'elles concernent la race, le sexe ou la religion, doivent être répertoriées pour que l'on puisse leur trouver des solutions. À la région nous essayons d'avoir systématiquement une politique éducative. Nous avons aussi été la première région de France à reconnaître publiquement l'existence du génocide rwandais. Nous avons invité le talentueux chanteur Corneille, rescapé de l'horreur, à donner un concert exceptionnel.

Le travail au sein de la région présente une différence notable avec les méthodes municipales : il est bien plus rapide. Les dossiers ne passent que devant une seule commission, on peut donc très vite se rendre compte des avancées accomplies dans nos domaines respectifs, ce qui est très excitant.

Depuis janvier, je divise ma semaine de la façon suivante : lundi, je suis à la ville. Toute la matinée se passe dans mon petit bureau, j'épluche mon courrier, trie mes e-mails (après une semaine d'absence pour la campagne des européennes, c'est 1 274 messages qui m'attendaient) et consulte nos dossiers en cours. J'ai souvent un déjeuner avec des partenaires, des journalistes, des électeurs. L'après-midi, je tourne dans mon service, et discute avec les fonctionnaires de nos dossiers et de leurs avancées. À 18 heures, nous avons une réunion municipale qui se prolonge en général tard dans la soirée.

Mardi, je pars pour Paris, où je gagne mon bureau du secrétariat national. En tant que chargée des sports, ce ne sont pas les projets qui manquent... Je poursuis ici le travail de la région, mais au niveau national. Je vais à la rencontre des responsables des mouvements sportifs, je discute avec eux de leurs besoins, de leurs attentes, de façon à amender notre position en bonne connaissance de la réalité sportive du pays. J'ai ainsi noué d'excellents contacts avec les fédérations sportives. Ma conviction est que le sport est un sujet sociétal essentiel, et pas seulement un loisir. Il véhicule des valeurs primordiales.

Je reste en général à Paris jusqu'au mercredi matin, parfois un peu plus tard. Je passe la soirée avec mes enfants.

Jeudi matin me revoilà dans mon service. Je saute le déjeuner, pour me rendre à mes permanences, que je ne quitte que pour arriver, en retard, à la réunion de section qui a lieu dans la soirée.

Vendredi à l'aube, je pars pour Dijon où je passe la journée entière, et souvent la soirée.

Le samedi après-midi, il y a toujours une manifestation sportive quelque part dans la région à laquelle je me dois d'assister. J'emmène mes enfants aux plus amusantes. Dimanche, il y a le marché que je ne rate quasiment jamais et un week-end sur deux un match de l'AJA. Je passe un temps considérable dans les transports, mais cela me permet de lire à fond tous les dossiers que l'on me donne, de les ingurgiter correctement, de préparer mes discours et mes interventions publiques.

En tant que maire adjointe, je gagne 960 euros nets, et 1400 pour mon travail de conseillère régionale. Évidemment, depuis janvier 2004, j'ai pris un congé de l'Éducation nationale.

En mai, j'ai participé à la campagne pour les européennes. J'étais huitième sur la liste, ce qui n'était pas une position éligible mais je savais que je pouvais rendre de bons services. Elle était conduite par Pierre Moscovici et j'étais heureuse d'avoir l'occasion de travailler avec ce jeune ancien ministre, fervent européen, qui a tant fait pour sa construction et qui a une connaissance inégalée de ses institutions. C'était pour moi un honneur.

Nous avons eu des résultats satisfaisants : 32,15 % à Auxerre, et jusqu'à 38 % dans le canton dont je m'occupais. Je suis heureuse si j'ai pu contribuer, par ma présence incessante sur le terrain, à la victoire de la gauche pour l'Europe, qui est un projet auquel je crois avec ferveur. Cette formidable construction est le symbole de la victoire de la paix sur la guerre, du droit sur la force. Elle semble morose, complexe, technocratique, et elle l'est peut-être, sans doute, encore trop, aux yeux de ceux qui ont tout. Mais moi qui viens d'Afrique, qui ne peux oublier totalement mon continent morcelé, en miettes, qui ne trouve pas son unité, qui ne cesse d'agoniser dans des souffrances insoutenables, je vois l'Europe comme un soleil. Je la trouve magnifique. Elle est l'avenir, la modernité, l'espérance en un monde meilleur. Elle est une référence. L'Afrique manque de ces visionnaires qui ont bâti l'Europe sur les cendres encore fumantes d'un monde ravagé par la Seconde Guerre mondiale. Les Monnet, les Schuman, les Mollet, les Mitterrand et les Delors... C'était il y a cinquante ans seulement, mais cela veut dire que c'est possible aussi pour l'Afrique. Dans quelques années, aussi impensable que cela paraisse aujourd'hui, l'Afrique pourrait se redresser, lentement se relever, et adapter peut-être ce modèle qui me semble admirable à double titre : le multilatéralisme plutôt que l'impérialisme, et l'alliance des performances économiques à un haut niveau de protection sociale. Cette Europe est généreuse et puissante malgré les difficultés et les crises qu'elle rencontre dans son évolution, comme toutes les grandes choses. C'est un chantier, un projet en construction, qui avance par compromis, qui grandit, qui progresse.

Septembre 2004 : hier, la liste des membres participant à l'élaboration du projet socialiste pour 2007 a été distribuée par Hollande. J'ai eu la fierté de trouver mon nom en tant que rapporteur pour la commission internationale. J'y figure au côté de Kader Arif, sous la présidence conjointe d'Hubert Védrine, Pierre Moscovici et Pervenche Berès.

Voilà un nouveau défi.

Derniers mots

Je me vois parfois comme une sorte de témoin entre deux sociétés. La première, la djiboutienne, où je suis née sous-citoyenne le jour de la misère, ventre à prendre au destin tracé d'avance, femme tout simplement. Et la française, celle que j'ai choisie, où je suis devenue non seulement citoyenne de plein droit, mais surtout actrice de la vie publique, celle où j'ai changé ma vie.

Je suis entrée en France par le haut. Femme de footballeur, tout de suite intégrée dans la notabilité d'une petite et chaleureuse ville de province, c'est de cette base que je me suis élancée vers la politique. J'ai l'honnêteté de reconnaître que si j'étais arrivée femme de ménage, sans argent, sans contact, sans amis, jamais je ne serais parvenue à construire ce qu'est ma vie aujourd'hui. Ce sont là les limites de mon histoire. Elle ne prouvera pas que l'égalité des chances existe, que la discrimination est en voie de disparition, que la porte est grande ouverte à présent aux nouveaux visages issus de l'immigration. Rien de tout cela n'est vrai, malheureusement. Tout peut le devenir, je crois.

La France s'est construite telle qu'elle est grâce aux générations qui ont lutté avant nous pour la rendre plus libre, plus égalitaire, plus ouverte. Les féministes ont mené combat depuis des lustres pour se faire entendre. Elles ont bâti une société qui devient plus juste, et c'est sur leurs acquis que je me suis appuyée. Grâce aux générations qui nous ont précédés, nous avançons tête haute sur des territoires presque vierges encore. C'est pour cela que j'ai choisi de m'engager en politique, pour remercier ceux qui m'ont aidée, ceux qui ont ouvert la voie, pour rendre un peu de ce qui m'a été donné et pour offrir, je l'espère, de meilleures chances encore aux générations futures. Si j'ai pu moi aussi poser une marche et m'inscrire dans ce combat, en contribuant avec d'autres de ma génération à élargir et enrichir le paysage politique français, si le chemin que je me suis frayé jusqu'à présent peut aider d'autres femmes et d'autres hommes issus de l'immigration à s'engouffrer en politique, alors je crois que j'aurai réussi quelque chose.

J'ai voulu raconter mon histoire parce que je crois qu'elle peut aider. En dévoilant mes moments difficiles et mes faiblesses, en démontant les mécanismes qui m'ont permis d'arriver où je suis aujourd'hui, je crois pouvoir donner à d'autres l'espoir que c'est possible.

Je suis fière de ce que j'ai accompli, et reconnaissante à la fois. Sur chaque continent, j'ai eu la chance de rencontrer des gens qui m'ont aidée, qui m'ont fait progresser, qui m'ont propulsée en avant. C'est à eux que j'ai pensé en écrivant ce livre, à tous ces visages de mon passé, certains disparus, d'autres qui sont aujourd'hui encore près de moi. À eux tous, je leur dois tant. Je leur dois d'avoir pu changer mon destin.

Aujourd'hui, je veux offrir à d'autres cette possibilité. C'est cela mon combat.

Remerciements

À Nadjaha, le soleil de mes enfants,
Sylvette, ma confidente de tous les jours,
Samia, Caroline, Ouaali Ali et Maryse, mes camarades de combat politique,
À Pauline Guéna, pour sa patience,
François Loncle, Pierre Moscovici et François Rebsamen pour leurs conseils.
Remerciements particuliers à Olivier Faure, qui est à l'origine de ce livre-confession.

Table

8066

Achevé d'imprimer en France (Manchecourt)
par Maury-Eurolivres
le 16 mai 2006.
Dépôt légal mai 2006. ISBN 2-290-35300-0

Éditions J'ai lu
87, quai Panhard-et-Levassor, 75013 Paris
Diffusion France et étranger : Flammarion